Scalp Acupuncture Lines Atlas of Clinical Anatomy

두침 임상해부 MAP

지은이 **王 曉明** · 감수 **최도영**

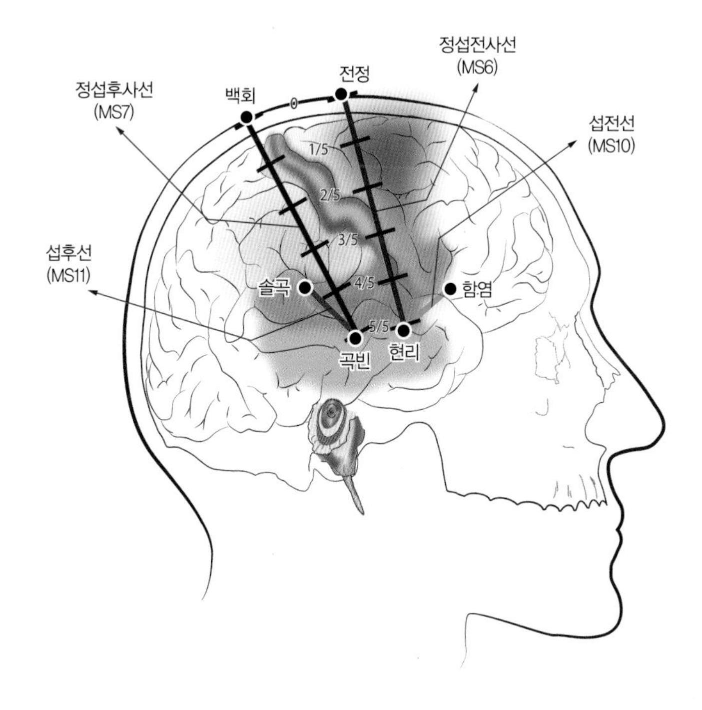

군자출판사

두침 임상해부 MAP

첫째판 1쇄 인쇄 | 2016년 07월 15일
첫째판 1쇄 발행 | 2016년 07월 25일

지 은 이 王 曉明
감 수 자 최도영
발 행 인 장주연
출 판 기 획 조은희
편집디자인 이슬희
표지디자인 김재욱
발 행 처 군자출판사
등록 제 4-139호(1991. 6. 24)
본사 (10881) **파주출판단지** 경기도 파주시 회동길 338(서패동 474-1)
전화 (031) 943-1888 팩스 (031) 955-9545
홈페이지 | www.koonja.co.kr

頭鍼臨床解剖マップ
王 曉明 著
医歯薬出版株式会社 (東京), 2015.
Title of the original Japanese language edition:
Atlas of Clinical Anatomy and Scalp Acupuncture Lines by WANG, Xiaoming

* 파본은 교환하여 드립니다.
* 검인은 저자와의 합의 하에 생략합니다.

ISBN 979-11-5955-061-4

정가 35,000원

서문

세한삼우(歲寒三友)

–경혈 · 이혈 · 두침–

송죽매(松竹梅)를 '세한삼우(歲寒三友)' 라고 한다. 풍설이나 혹독한 추위를 견디며 희망적인 푸르름을 유지하는 송죽과, 엄동 속에서 늠름하게 꽃을 피우며 봄을 일찍 알리는 매화는 고대부터 꾸준히 사랑 받아 왔다. 송죽매처럼 14경맥경혈, 이혈(耳穴), 두침(頭鍼)도 동서고금 유구한 세월의 흐름을 불문하고, 왕성한 생명력을 유지하고 있다. 그런 까닭에 이미 출판한 〈경혈(經穴) 임상해부 MAP〉, 〈이혈(耳穴) 임상해부 MAP〉, 본서 〈두침 임상해부 MAP〉의 자매 3서는 세한삼우를 직유하여 현대나 미래의 침구의료의 발전에 기여하고자 한다.

두침요법은 1950년 말에 시작하여 방씨(方氏)두침, 탕씨(湯氏)두침, 주씨(朱氏)두침, 초씨(焦氏)두침, 임씨(林氏)두침, 유씨(劉氏)두침 및 야마모토(山元)씨 신두침 등의 여러 설이 있지만 두피상에서 보는 대뇌피질의 기능국재는 해부생리의 이론과 공통되고 있다. 임상에서는 뇌질환을 비롯하여 진정, 진통 및 운동이나 감각장애의 개선에 이용되고 있다. 1983년에 중국 침구학회는 '두피침자극부위 국제표준화'를 제안하였고, 1984년 6월 도쿄에서 개최된 WHO/WPRO(WHO서태평양 지역사무국) 회의에서 '두피침혈명칭 국제표준'으로 동의를 얻게 되었으며, 1989년 11월 WHO가 주최하는 '침구경혈부위 국제표준화'의 회의에서 반포되었다.

본서는 임상영역에 초점을 두고, WHO/WPRO 국제두피침혈명칭 및 그 두침에 관한 해부생리를 일러스트로 표시하고 있다. 임상편에서는 가능한 지금까지의 두침임상을 집대성하여 그 처방을 정리하고 있다.

세한삼우(歲寒三友) 저자와 독자가 연을 이을수 있었던 것은 편집자의 노고에 의한 것이다. 이 십수년 동안 ≪경혈 MAP≫(제1판)을 비롯하여 수많은 출판에 최선을 다해 주신 의치약출판사의 竹內 大씨가 새 봄 1월에 퇴직을 하신다. 본서가 竹內씨에게 마지막 작업이 될 것을 생각하니 감개무량하다. 진심으로 '수고하셨습니다, 감사합니다' 라고 전하고 싶다.

2015년 입춘, 풍주에서

王 曉明

감수자 서문

한의학은 질병의 진단과 치료에 있어서 인체의 내부 장기와 체표 조직 및 기관이 별개가 아닌 서로 깊은 연계를 이루고 있다는 특유의 사고방식을 갖고 있으며, 이를 정체관념이라 합니다. 두침요법은 서양의학의 대뇌피질이론을 근거로 한의학의 자침방법을 응용한 것인데, 이러한 정체관념을 기반으로 전신이 아닌 머리에만 침을 놓아 치료하는 분구침법으로 새로운 침요법 중의 하나입니다.

1971년경부터 활용되어 오고 있는 두침요법은 뇌에서 기인되는 사지마비, 마목, 실어, 실명, 감각이상증에 좋은 효과가 있고, 그 외에도 내장기동통, 피부병, 비뇨생식기질환 등에 일정효과를 나타내고 있습니다. 또한 대뇌피질구에 상응하는 두피의 투사구에 자침하는 것이 일부 중추신경계의 질환치료에 유효하다는 것이 입증되고 있습니다.

최근 국내는 물론 전세계적으로 고령화 사회에 직면하면서, 퇴행성 · 노인성질환에 대한 관심이 높아지고 있습니다. 특히 파킨슨질환, 치매 등 21세기 질환인 퇴행성 뇌질환을 호소하는 환자들이 크게 증가하고 있어, 임상가에서 다양한 침법 중에도 두침요법의 활용이 기대되고 있습니다.

두침의 해부는 임상두침을 이해하는 기초적인 지식 중 하나입니다. 그러나 두침을 배워야 하는 학생이나 한의사 입장에서는 그 경로를 이해하는 것이 어렵게 느껴질 수 있습니다. 더욱이 고전적인 책들은 단순 사진과 도형 그리고 문장으로 기술되어 현장감이 떨어지고, 그 내용을 임상에 적용하기가 매우 어렵습니다. 이에 반해 '두침임상해부맵'은 잘 짜인 구성과 섬세한 일러스트레이션으로 구성되어, 독자가 보다 쉽고 흥미롭게 지식을 습득하는 것이 가능합니다. 또한 본서는 WHO/WPRO회의에서 동의를 얻은 국제표준의 두피침혈명칭을 사용하였으며, 임상편에서는 가능한 지금까지의 두침임상을 집대성하여 그 처방을 정리함으로써 두침을 처음 접하는 한의사나 학생들에게 최신지견을 갖춘 필독서로 자신 있게 추천드릴 수 있습니다.

아울러 이 책과 자매서인 경혈MAP(군자출판사, 2015)을 부교재로 사용하여 공부하는 것이 큰 도움이 되리라 생각합니다. 끝으로 이 책이 출간하기까지 많은 노력을 해주신 군자출판사 관계자 여러분과 장주연 대표님께 깊은 감사의 인사를 드립니다.

2016년

경희대학교 한방병원 병원장

최도영

본서의 사용법

1. 제1장/제2장 : 두침의 연혁, 두부의 해부 등은 임상두침을 이해하는 기초적인 지식이다. 컬러 아틀라스로 표시했지만 체표해부에 초점을 두었다.
2. 제3장 : WHO/WPRO 두피침혈명칭 국제표준(1989년안)은 부위별로 렌즈업하여 편집하였다. 두침의 일본어역에 관한 통일된 표기는 없지만 WHO/WPRO 두피침혈명칭 국제표준(1989년안)에 준한 표기를 채택하였다. 그 명칭은 자매서인 〈컬러판 · 경혈 MAP〉(의치약출판, 2013.3, 제2판 제1쇄)의 두침과 다른 점도 있지만 본서에 준하고자 했다.
3. 제4장 : 두침임상에 관한 자입법, 두침임상에서 흔히 이용하는 치료법 및 금기 등을 정리하였다.
4. 제5장 : 가능한 지금까지의 두침임상 특징을 집대성하여 현대의학에 따라 질환별로 편집하였다. 각 질환별로 보면 처방은 중복되는 것도 있지만, '이병동치(異病同治)' 는 침구요법의 특징이라고 할 수 있다.
5. 제6장 : 여러 선생님의 두침요법을 간단히 정리하였다.
6. 보충 : 경두개자기자극법, 반복 경두개자기자극법을 다루었다.

CONTENTS

제6장 여러 선생님의 두침요법 129

CHAPTER 01

두침의 개요

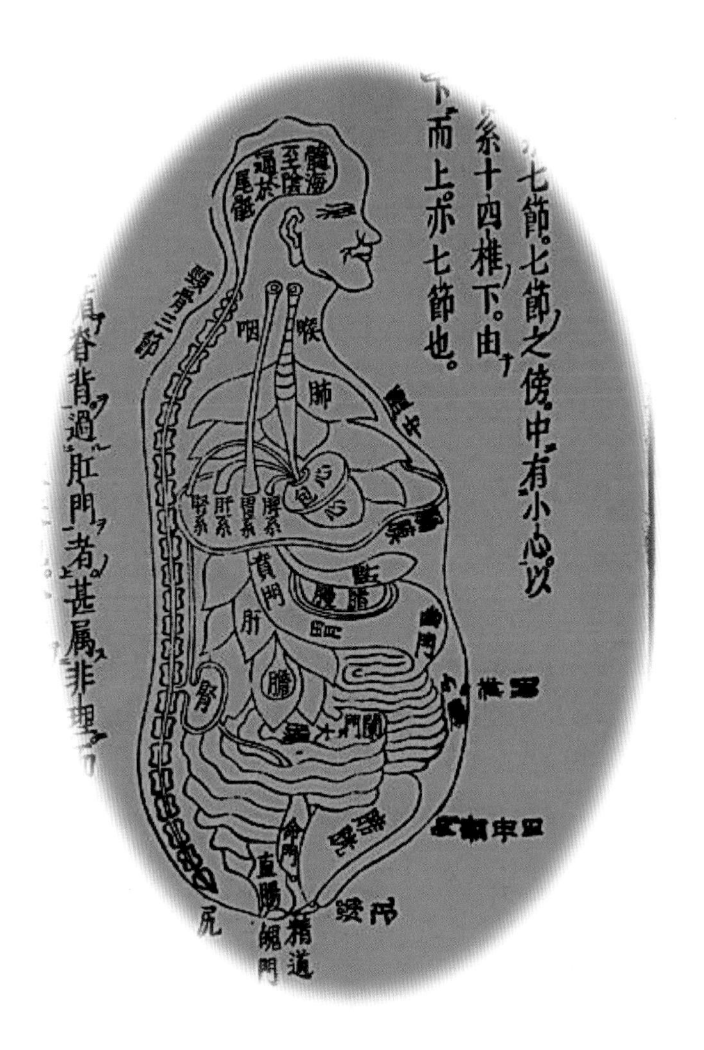

1-1 두침(頭鍼)이란?

1. 두침의 개요

두침(Scalp Acupuncture)은 두피침(頭皮鍼)이라고도 한다. 두피상에서 중심구의 전방에 1차 체성운동영역, 중심구의 후방에 1차체성감각영역 등 대뇌피질의 기능국소화를 그대로 투영한다. 병상에 대응하는 특정한 부위에 침자극이나 통전자극 등을 하는 치료법이다.

임상적으로는 뇌혈관장애를 비롯한 뇌질환이나 동통 치료에 사용하는 경우가 많다.

2. 자극구역과 명칭

WHO/WPRD(WHO서태평양지역사무국)가 정한 국제표준두침(안)은 액구(額區, 전두구:前頭區), 두정구(頭頂區), 측두구(側頭區), 침구(枕區, 후두구:後頭區) 의 4구 14선이 된다.

● 두침의 명칭4구 14선(Scalp Acupuncture Lines)

4구	14선
1. 액구(額區, 전두구:前頭區)	① 액중선(額中線)(MS1) ② 액방 I 선(額旁 I 線)(MS2, 액측 I 선) ③ 액방 II 선(額旁 II 線)(MS3, 액측 II 선) ④ 액방 III 선(額旁 III 線)(MS4, 액측 III 선)
2. 두정구(頭頂區)	① 정중선(頂中線)(MS5, 두정선) ② 정방 I 선(頂旁 I 線)(MS8, 두정 I 선) ③ 정방 II 선(頂旁 II 線)(MS9, 두정 II 선)
3. 측두구(側頭區)	① 정섭전사선(頂顳前斜線)(MS6) ② 정섭후사선(頂顳後斜線)(MS7) ③ 섭전선(顳前線)(MS10) ④ 섭후선(顳後線)(MS11)
4. 침구(枕區, 후두구:後頭區)	① 침상정중선(枕上正中線)(MS12) ② 침상방선(枕上旁線)(MS13, 침상측선) ③ 침하방선(枕下旁線)(MS14, 침하측선)

1-2 두침의 연혁(沿革)과 유파(流派)

1. 두침의 연혁

두침은 침구의료의 미침요법(微鍼療法)으로 분류되고 있다.

1950년대말 중국 · 협서성(陝西省)의 방운붕(方雲鵬), 60년대 중국 · 상해의 탕송연(湯頌延)이 두침치료의 시초이다. 70년대~80년대에는 중국 · 산서성(山西省)의 초순발(焦順發), 중국 · 북경(北京) 주명청(朱明淸), 중국 · 상해(上海)의 임학검(林學儉), 중국 · 광동성(廣東省)의 유병권(劉柄權), 일본의 야마모토 토시카츠(山元敏勝)도 각각 두침요법을 고안하였다.

1983년 중국침구학회는 '두피침자극부위 국제표준화' 를 제안하였고, 1984년 6월 동경에서 개최된 WHO/WPRO(WHO서태평양 지역사무국) 회의에서 '두피침혈명칭 국제표준화' 로서 동의를 얻게 되었다. 1989년 11월에는 WHO가 주최하는 '침구경혈부위 국제표준화' 회의에서 반포되었다.

2. 두침의 유파

● 두침의 주요 유파와 개요

주요 유파	개요
1. 초순발(焦順發)	중의학의 경락학설과 대뇌피질의 투영을 융합하고, '운동구', '감각구', '무도진전 공제구(舞踏震戰 控制區)' 등의 4두부자극부위(구) 를 정한다. 자극법은 쾌속자입(快速刺入)을 특징으로 하고 있다.
2. 주명청(朱明淸)	두부의 시상선(矢狀線)을 축으로 하여 9자극대를 정하고, 200회/분의 쾌속적 염침(捻鍼)자극을 특징으로 한다.
3. 방운붕(方雲鵬)	'복상(伏象)'(운동중구), '복장(伏臟)'(감각중추) 을 축으로 하여 4구 11자극점을 정한다. 자극법으로 직자(直刺)나 사자(斜刺)에 염침(捻鍼)을 추가하고 있다.
4. 탕송연(湯頌延)	중의학의 장상학설(臟象學說)과 대뇌피질의 투영을 융합하고, 두부를 음면(陰面)과 양면(陽面)의 2가지로 나눈다. 자극법으로 천자극(淺刺戟)과 장시간의 유침을 주장하고 있다.
5. 임학검(林學儉)	대뇌피질의 기능영역이나 뇌혈류에서 얻은 치료포인트를 소아뇌성마비 등의 질환이나 두부외상의 재활치료에 응용하고 있다.
6. 유병권(劉柄權)	'주역'의 구궁팔괘설(九宮八卦說)과 두부의 경혈을 융합, 백회혈(百會穴)을 기준점으로 하여 소아뇌성마비 등의 질환이나 뇌졸중의 재활치료에 응용하고 있다.
7. 야마모토 토시카츠(山元敏勝)	전액부(前額部)를 기본부위로 하고, YNSA기준점을 축으로 한다.

1-3 두침의 고전설(1)

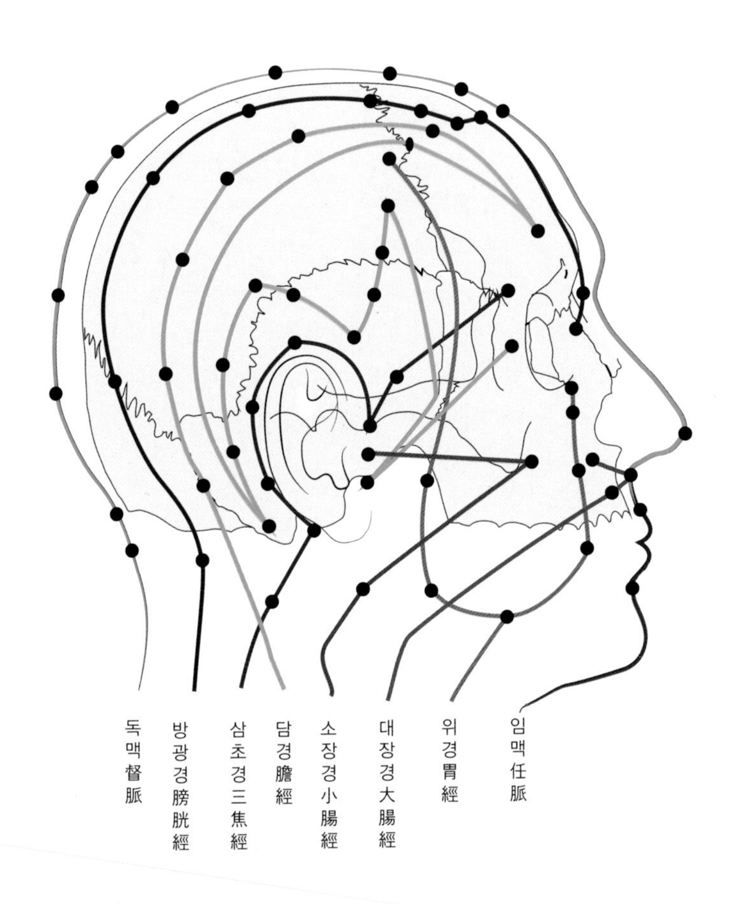

두침의 고전설

≪영추(靈樞) · 사기장부병형편(邪氣臟腑病形編)≫ 에는 '십이경맥, 365낙맥은 그 혈기가 모두 안면으로 올라가서, 공규(空竅)로 들어간다' 고 기재되어 있다.

'공규(空竅)' 란 머리의 내부를 의미한다. 십이경맥 중에서 족양명위경맥(足陽明胃經脈)은 안면, 두부의 전면을, 족태양방광경맥(足太陽膀胱經脈)은 전액부, 두부 및 후두부를, 손이나 발의 소양경맥(少陽經脈)은 측두부를 유주하고 있다.

1-3 두침의 고전설(2)

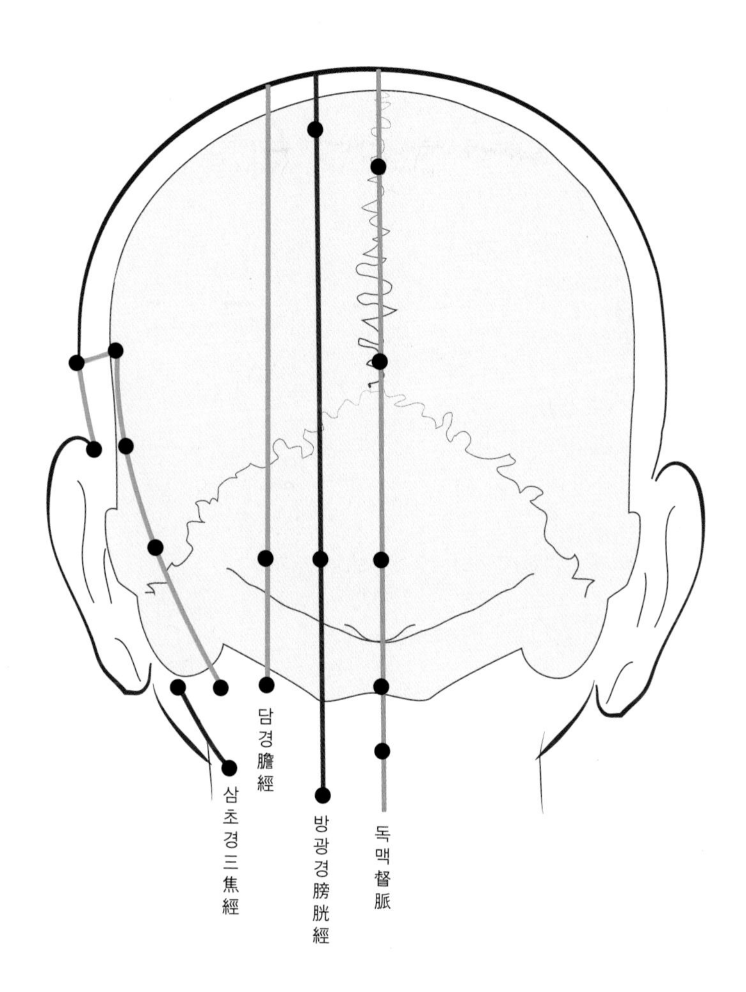

기경(奇經) 8맥 중에서 독맥(督脈)은 후두부, 두정 및 전액부를 유주하고, 음교맥(陰蹻脈)과 양교맥(陽蹻脈)은 풍부혈(風府穴)과 합쳐져서 뇌로 들어간다.

다른 경맥은 직접, 또는 낙맥, 경근(經筋) 등을 통해서 두부와 뇌에 통한다.

이들 두부의 경맥경혈은 두침요법의 고전이론의 근거가 된다.

1-4 두침의 현대설(1)

고전의 경맥이론이나 두부경혈의 임상 치험에 추가하여 뇌의 해부생리에 관한 이론은 두침에 큰 영향을 주고 있다. WHO/WPRO는 대뇌피질의 기능영역이 두피로 투영되는 것을 기준으로 하여 4구 14선의 두침요법의 구역을 정하였다.

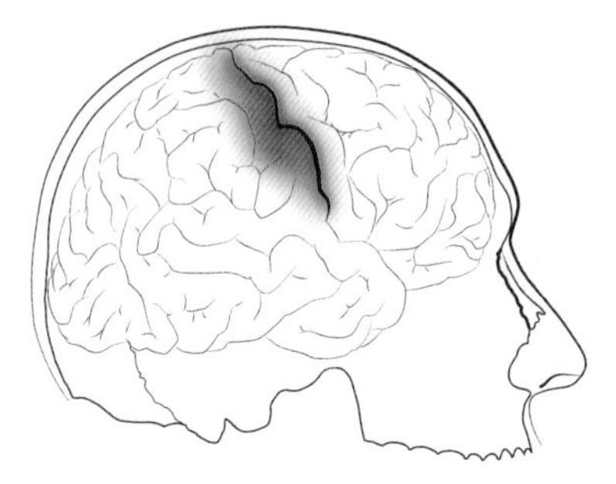

중심후회(中心後回)(1차체성 감각영역)

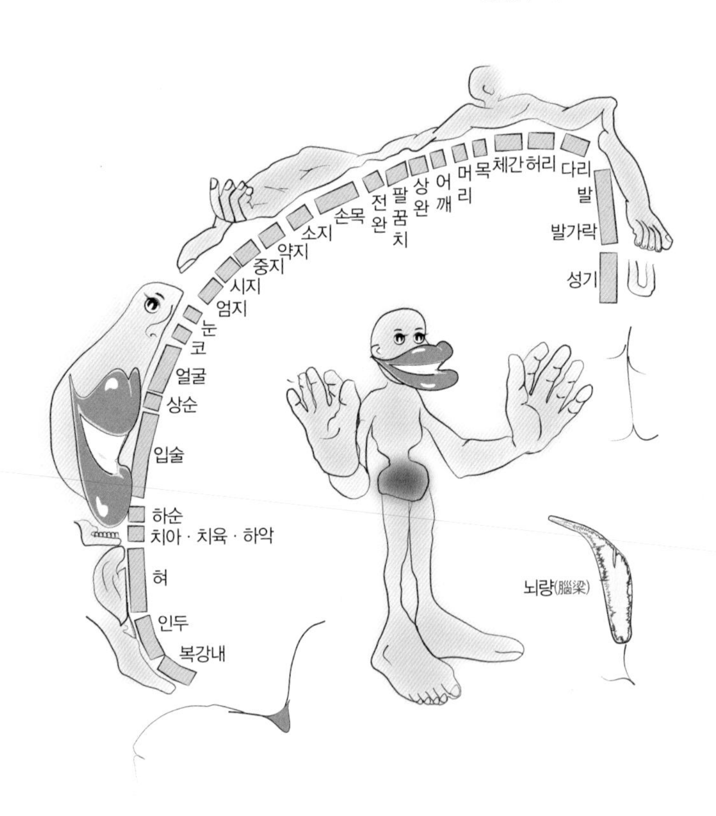

중심후회(中心後回)(1차체성감각영역) 로의 인체의 배치와 비율

1-4 두침의 현대설(2)

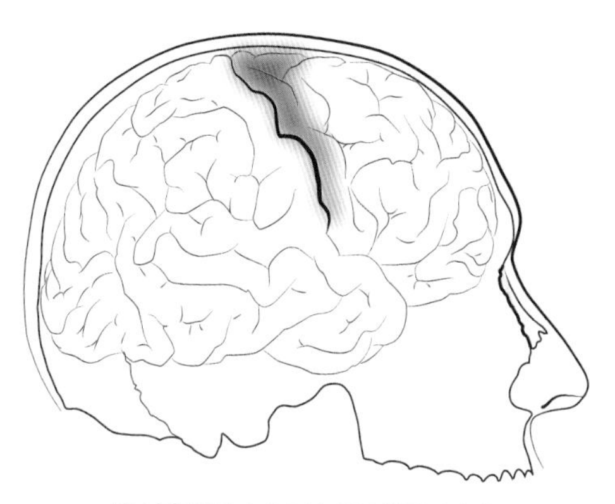

중심후회(中心後回)(1차체성 감각영역)

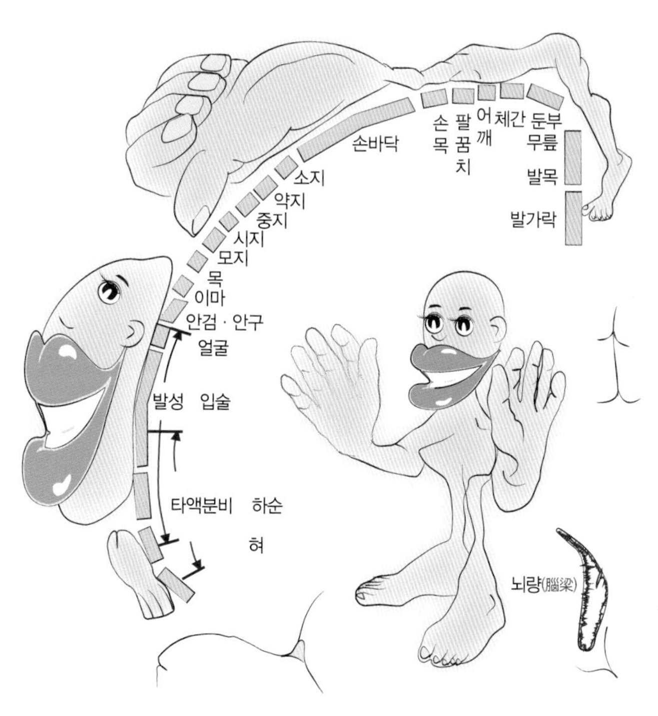

중심전회(中心前回)(1차운동영역) 로의 인체의 배치와 비율

CHAPTER 02

두침의 기초

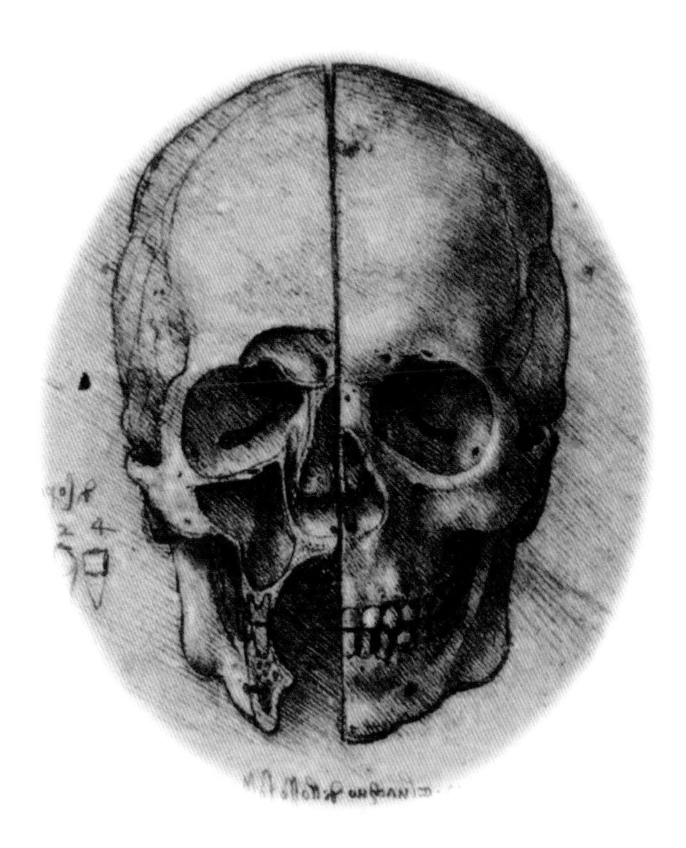

2-1 두개골(전면1)

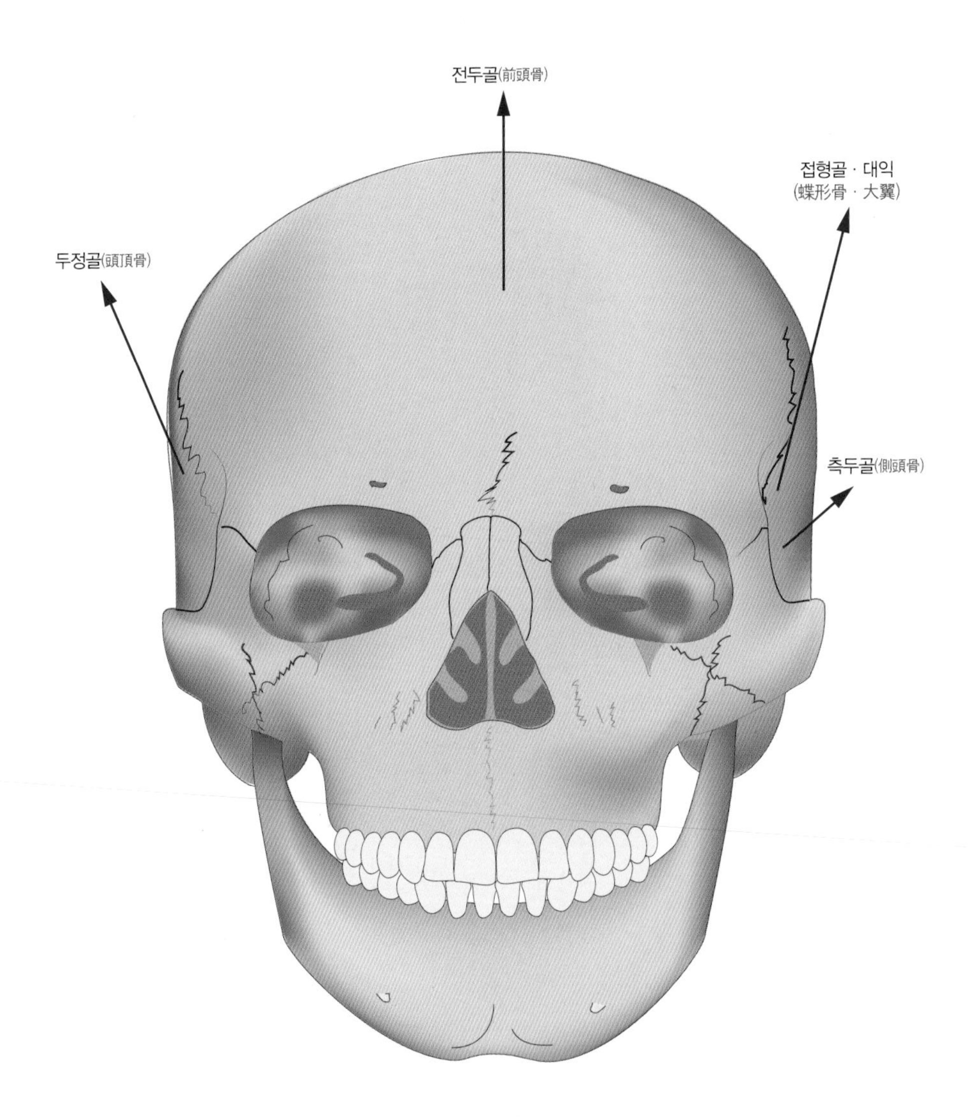

전면

2-1 두개골(전면2)

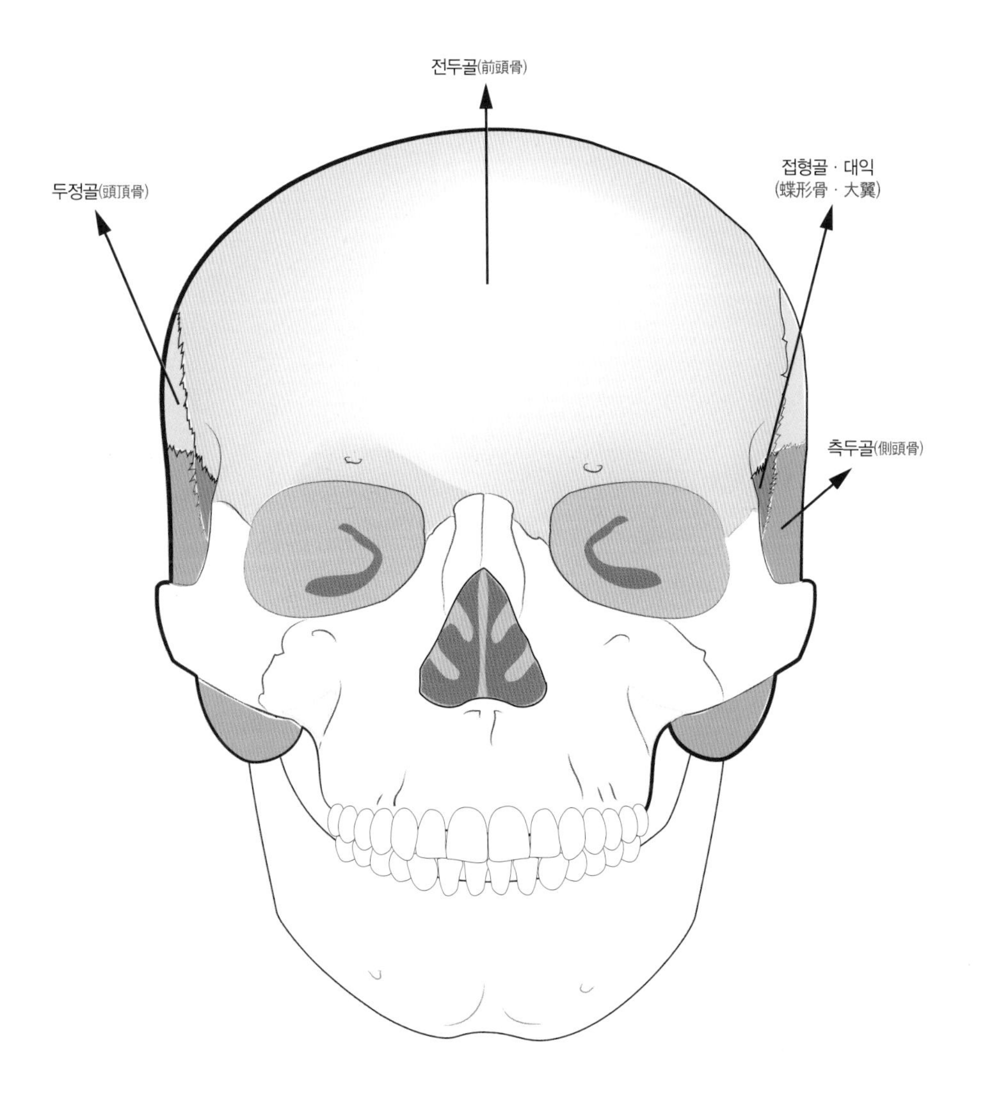

컬러에 의한 두개골의 구분 (전면)

2-2 두개골(측면1)

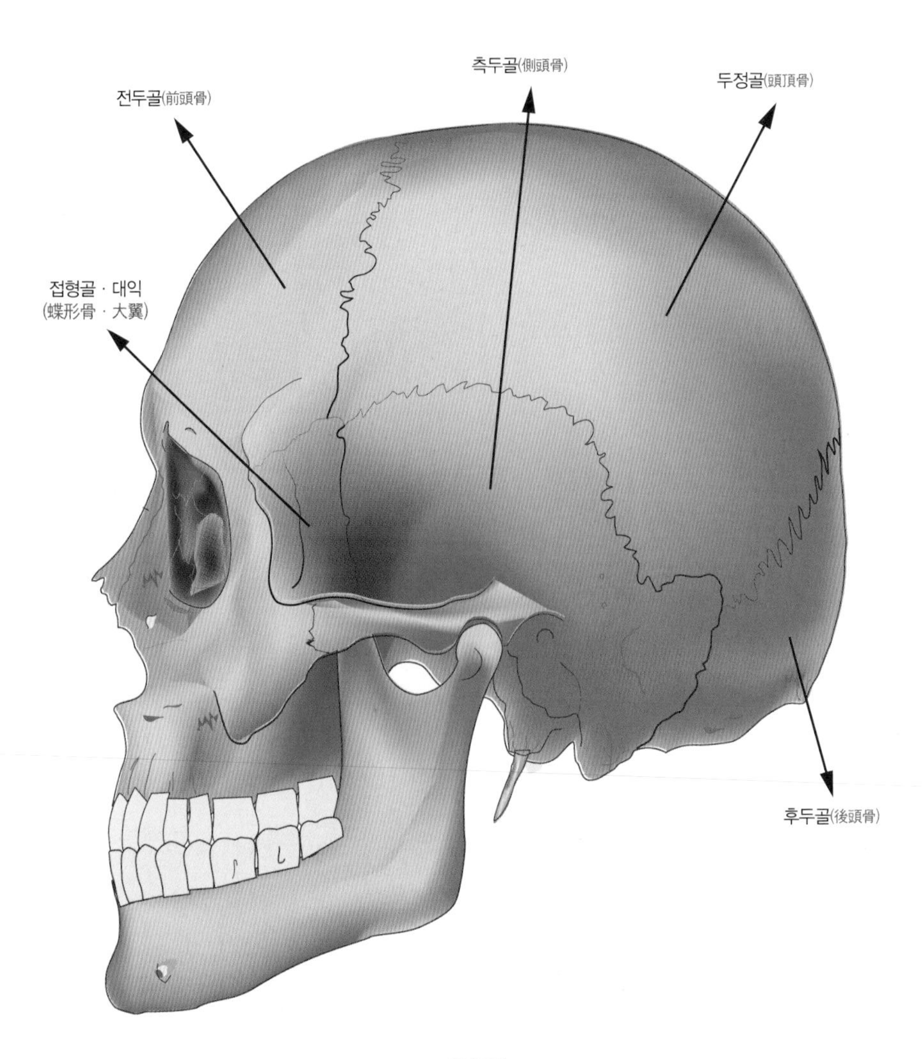

외측면

2-2 두개골(측면1)

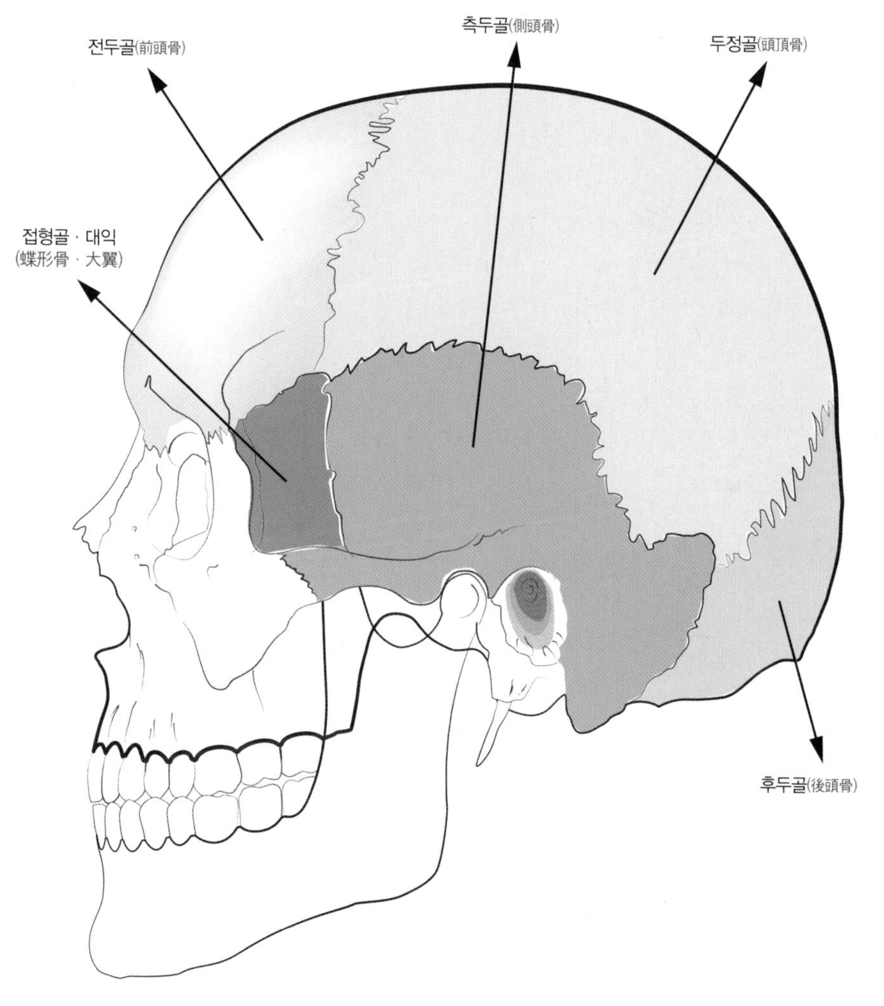

컬러에 의한 두개골의 구분 (외측면)

2-3 두개골(두정면1)

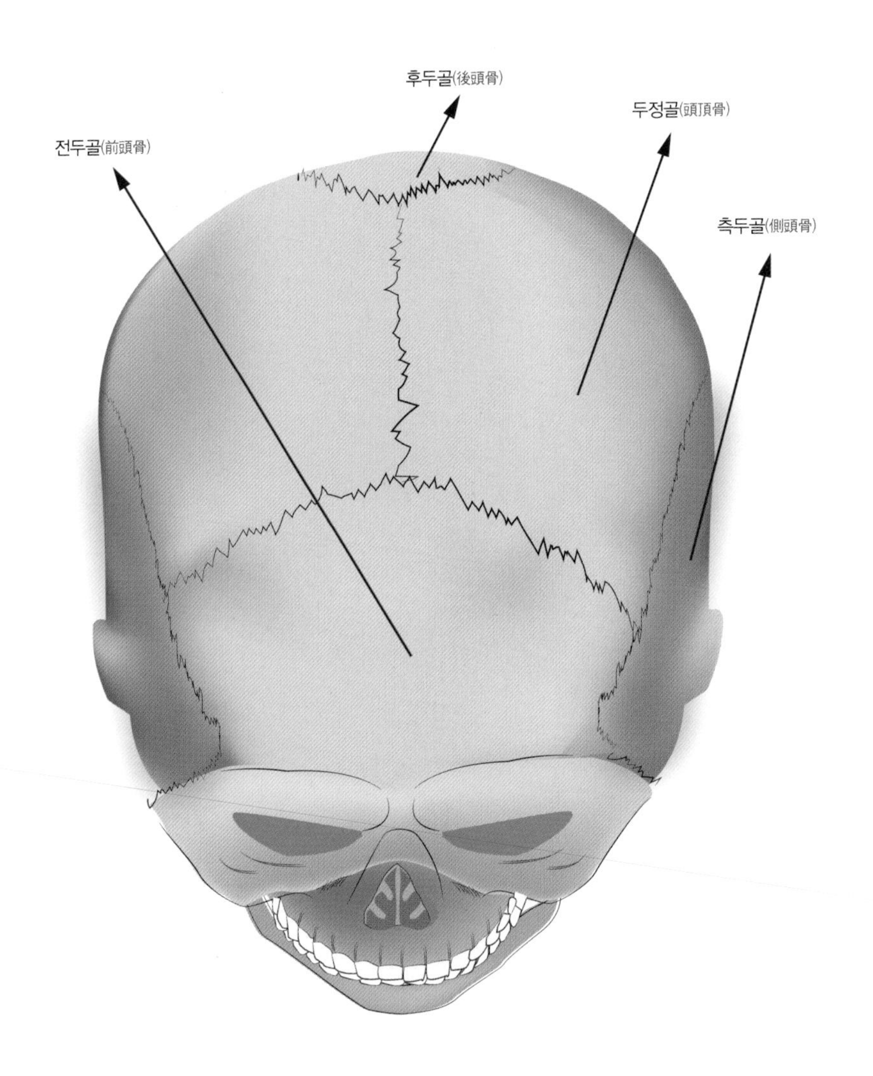

전상면

2-3 두개골(두정면2)

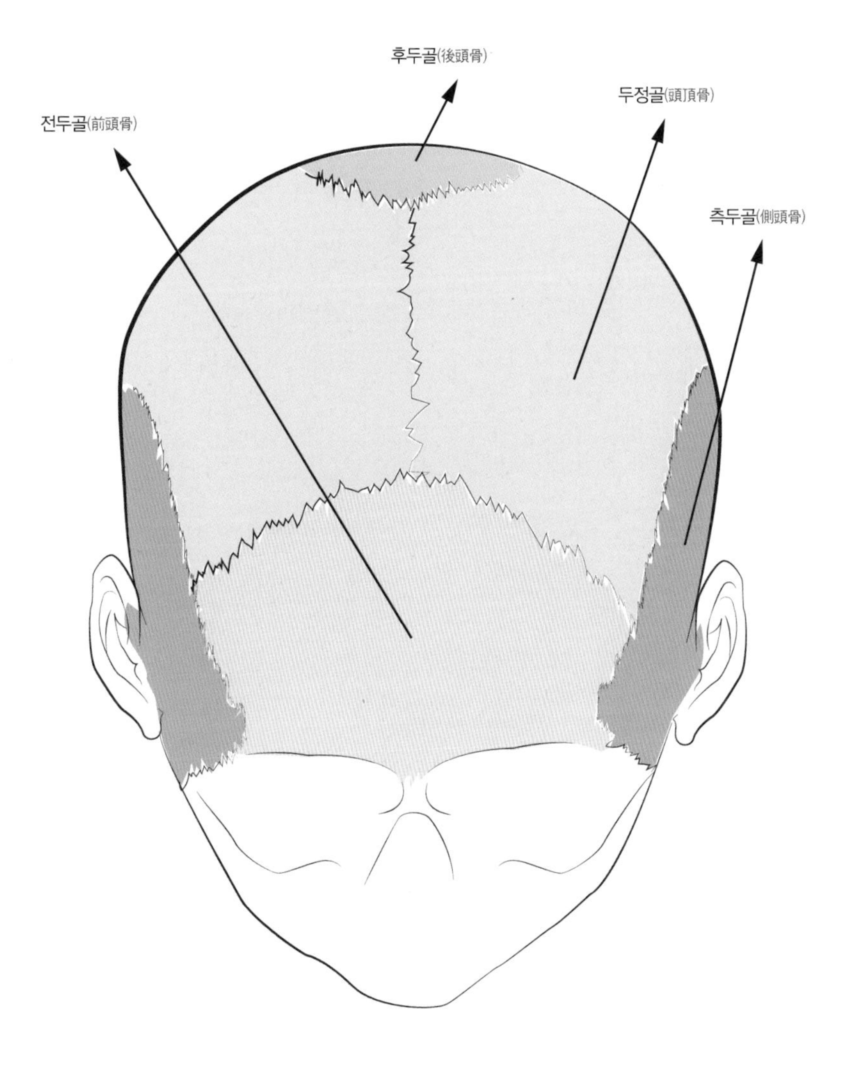

컬러에 의한 두개골의 구분 (전상면)

2-4 두개골(후면1)

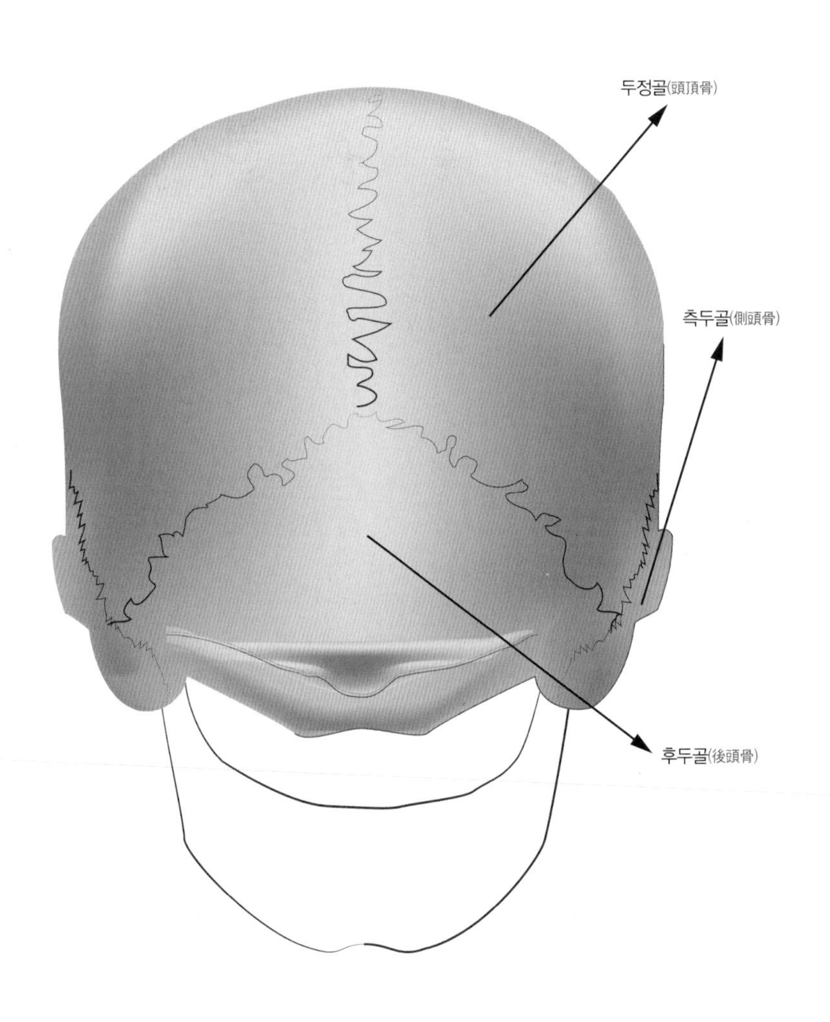

후면

2-4 두개골(후면2)

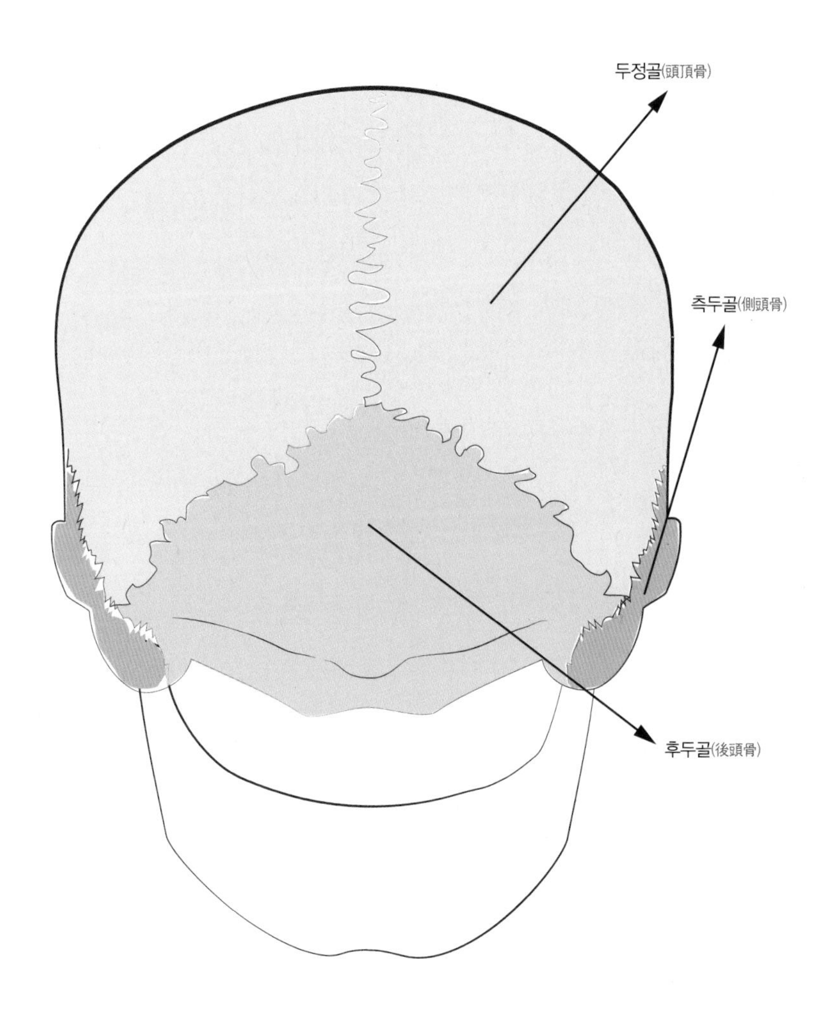

컬러에 의한 두개골의 구분 (후면)

2-5 대뇌반구의 엽(葉)(외측면)

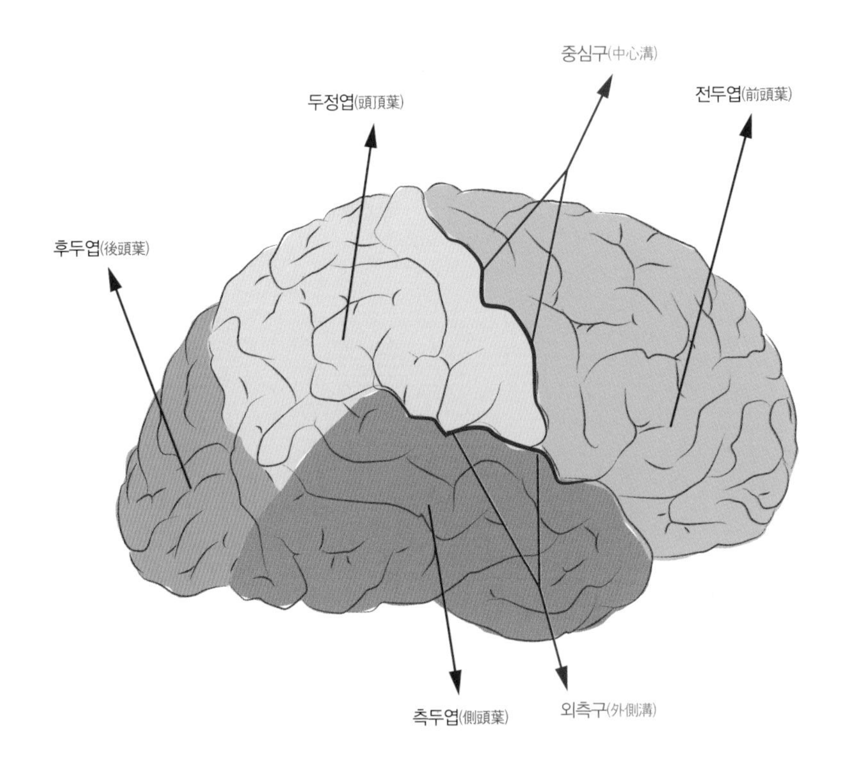

외측면

● **뇌엽(腦葉)**

두개부분에 대응하여 대뇌 외측면에서는 전두엽(前頭葉), 두정엽(頭頂葉), 후두엽(後頭葉), 측두엽(側頭葉)을 구분한다. 또 외측구(外側溝) 저부에 도엽(島葉)이 있다.

중심구는 대뇌반구의 외측면에서 반구상연 다소 후부에서 전하방으로 비스듬히 하강하며, 전두엽과 두정엽의 경계가 된다. 중심구의 전방에 중심전회(1차운동영역), 후방에 중심후회(1차체성 감각영역) 가 있다.

외측구는 외측면에서 측두엽(側頭葉) 과 두정엽(頭頂葉)을 나눈다.

2-6 브로드만 영역(외측면)

뇌지도라고도 한다. 대뇌피질조직의 신경세포를 기능적으로 분류하고, 뇌기능 국재를 52피질영역으로 나타내고 있다.

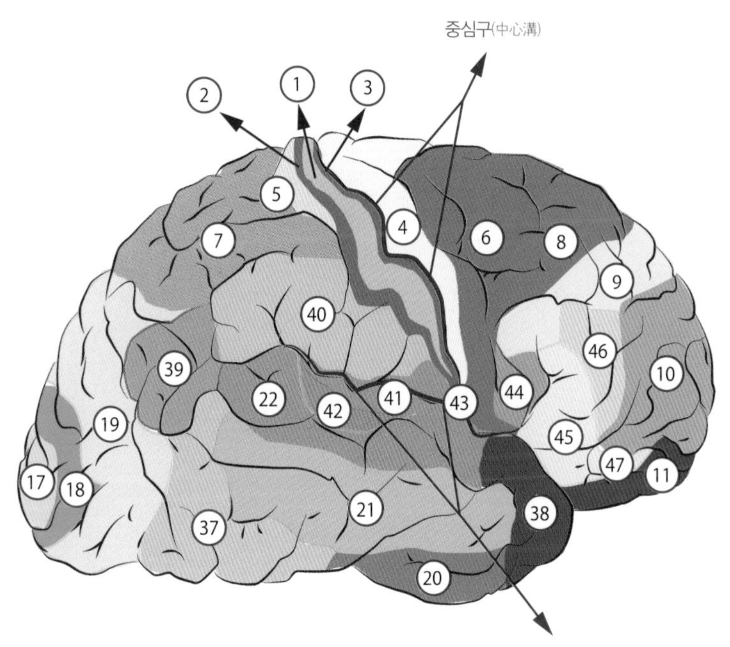

브로드만 영역 (외측면만)

피질영역	1,2,3 영역	4영역	5영역	6영역	7영역	8영역	9영역
뇌기능 국재	1차체성 감각영역	1차 운동영역	체성감각 연합영역	전운동영역 보충운동영역	체성감각 연합영역	전두안영역	전두안영역 배외측부
	10영역	11영역		17영역	18영역	19영역	20영역
	전두극	안와 전두영역		1차 시각영역	2차 시각영역	시각 연합영역	하측두회
	21영역	22영역		37영역	38영역	39영역	40영역
	중측두회	상측두회		방추상회	측두극	각회	연상회
	41, 42영역	43영역	44영역	45영역	46영역	47영역	
	1차 청각영역	1차 미각피질	하전두회 판개부	하전두회 삼각부	전두전영역 배외측부	하전두전영역	

2-7 대뇌피질의 체성감각영역

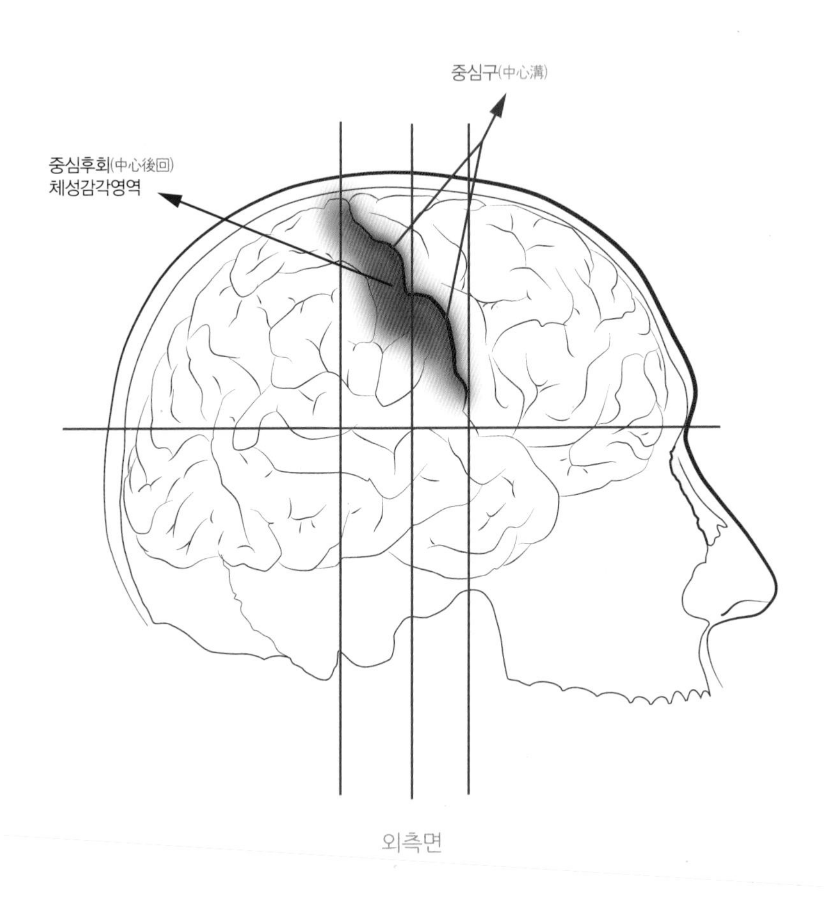

외측면

1차체성감각영역은 대뇌피질 두정엽의 중심후회(中心後回)에 있다. 1차체성감각영역은 브로드만의 3, 2, 1영역으로 이루어진다. 1차체성감각영역에서는 직접 또는 간접으로 전두엽의 운동관련영역으로의 투사가 있으며, 수의운동의 조절에 필요한 감각정보를 보내고 있다.

2-8 중심후회(1차체성감각영역) 로의 인체배분

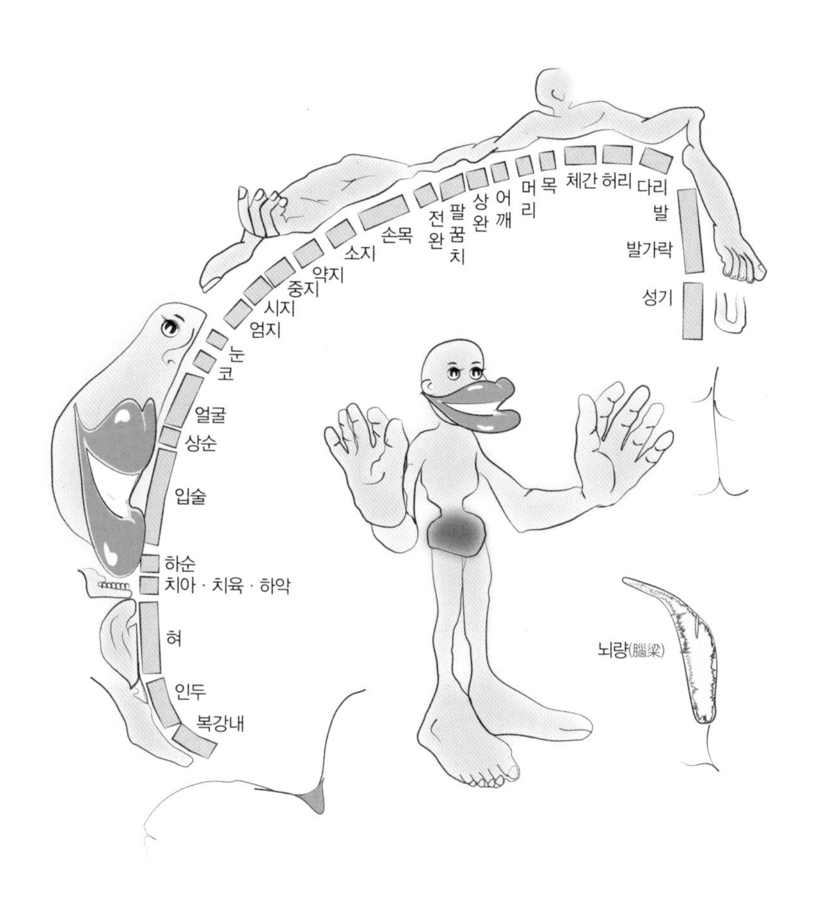

1차체성감각영역에서는 대뇌반구 내측면에서 외측으로, 하지, 체간, 상지, 안면 및 구강 순으로 신체부위의 국재를 투영하고 있다. 손가락이나 안면처럼 식별능력이 높은 부위에는 다른 신체부위에 비해서 상당히 넓은 영역을 가지는 것을 특징으로 하고 있다.

2-9 대뇌피질의 운동영역

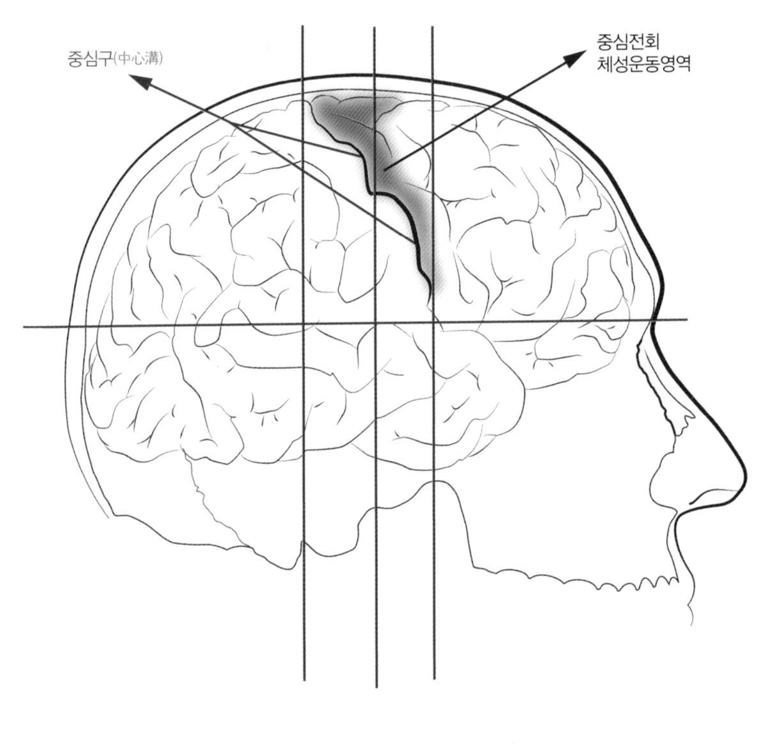

외측면

1차운동영역이란, 전두엽의 중심전회에 있으며, 브로드만의 4영역에 해당한다. 보다 고차원적인 운동제어와 관련되는 영역으로서, 운동전영역, 보충운동영역, 보충운동전영역, 운동성 대상피질 등이 포함된다.

또 급속안구운동과 관련되는 전두안영역, 또는 운동성 언어중추인 브로카 영역 등도 넓은 의미에서 피질의 운동중추라고 할 수 있다.

2-10 중심전회(1차운동영역) 로의 인체배분

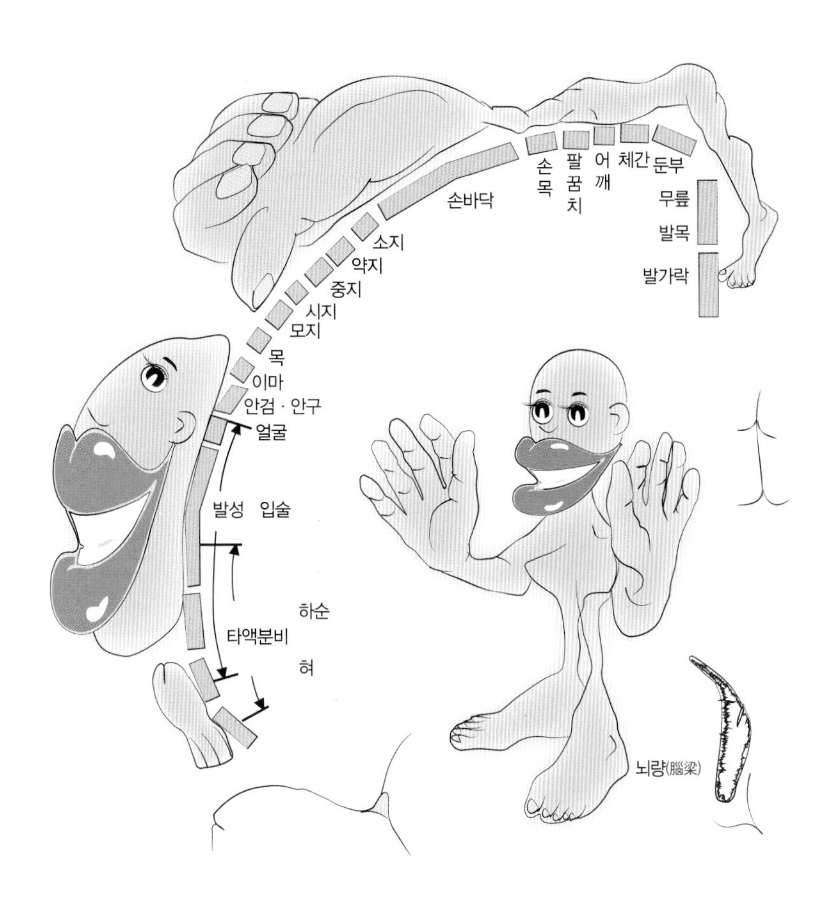

1차운동영역은 1차체성감각영역과 마찬가지로, 신체 각부가 반구내측상방에서 외측하방을 향해서 반대측 하지, 체간, 상지, 얼굴, 혀의 순으로 배열된다. 언어나 손의 기능과 관련된 부분의 면적이 넓다.

2-11 두부의 동맥

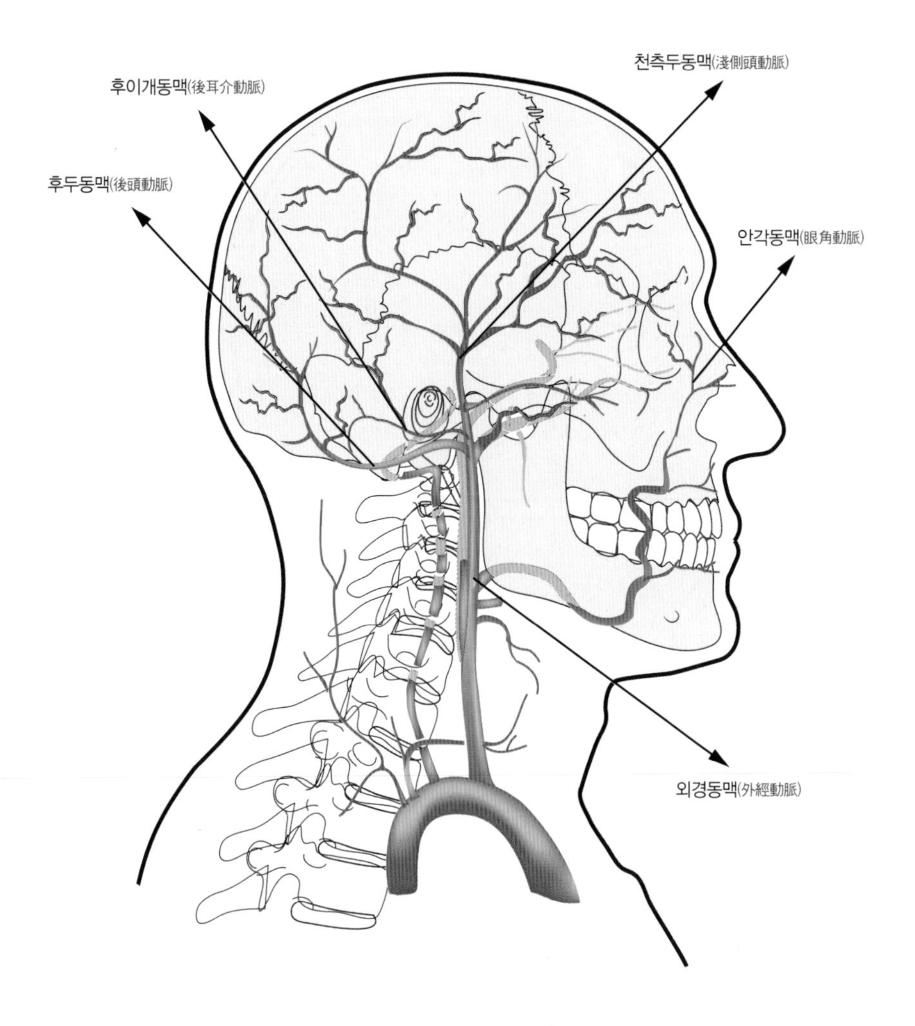

외측면

2-12 두부의 정맥

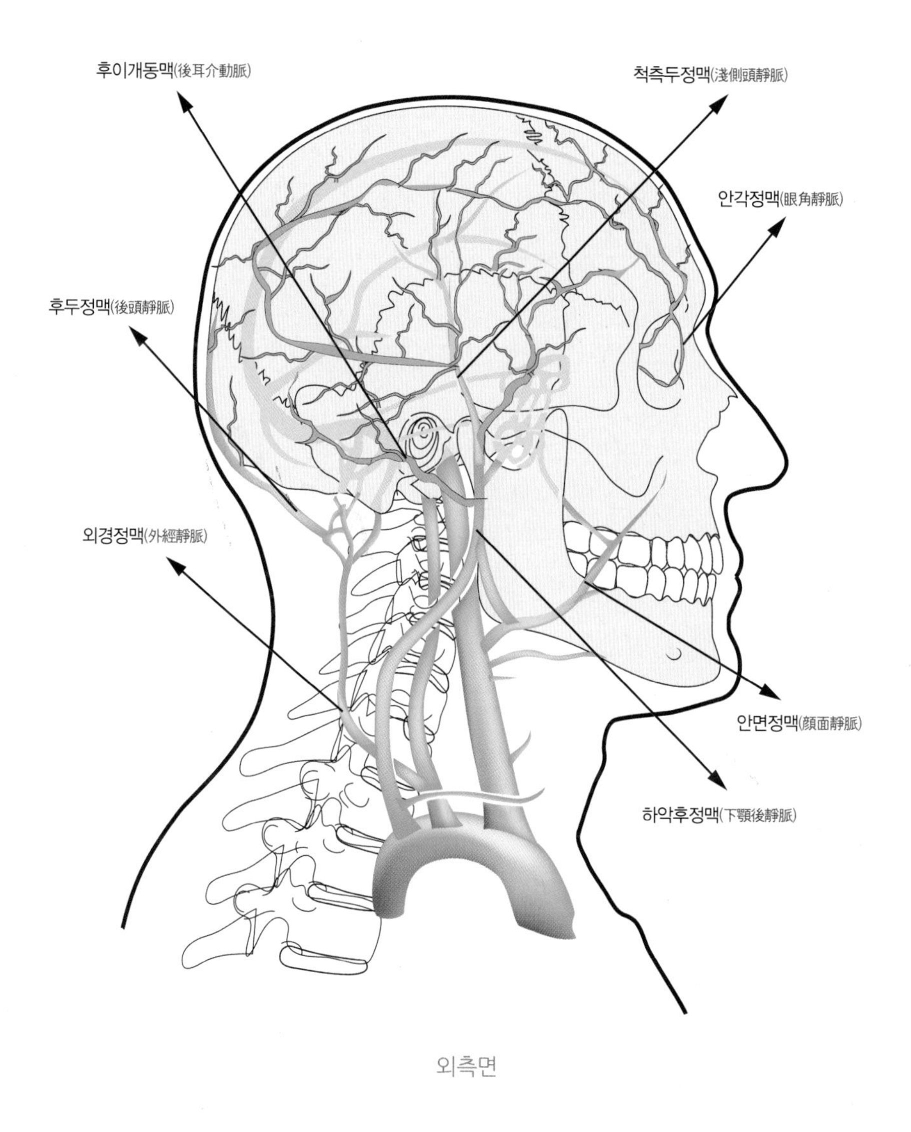

외측면

2-13 두부의 신경지각영역(1)

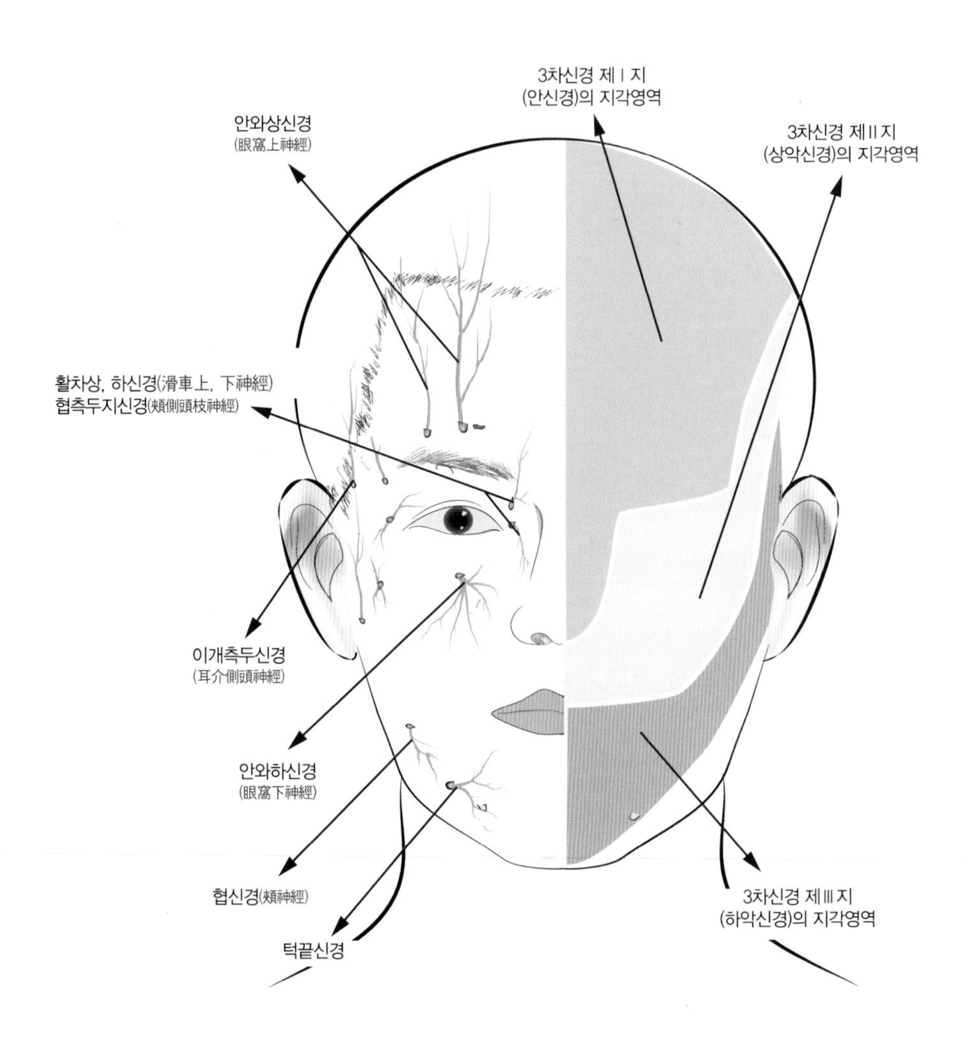

전면

2-13 두부의 신경지각영역(2)

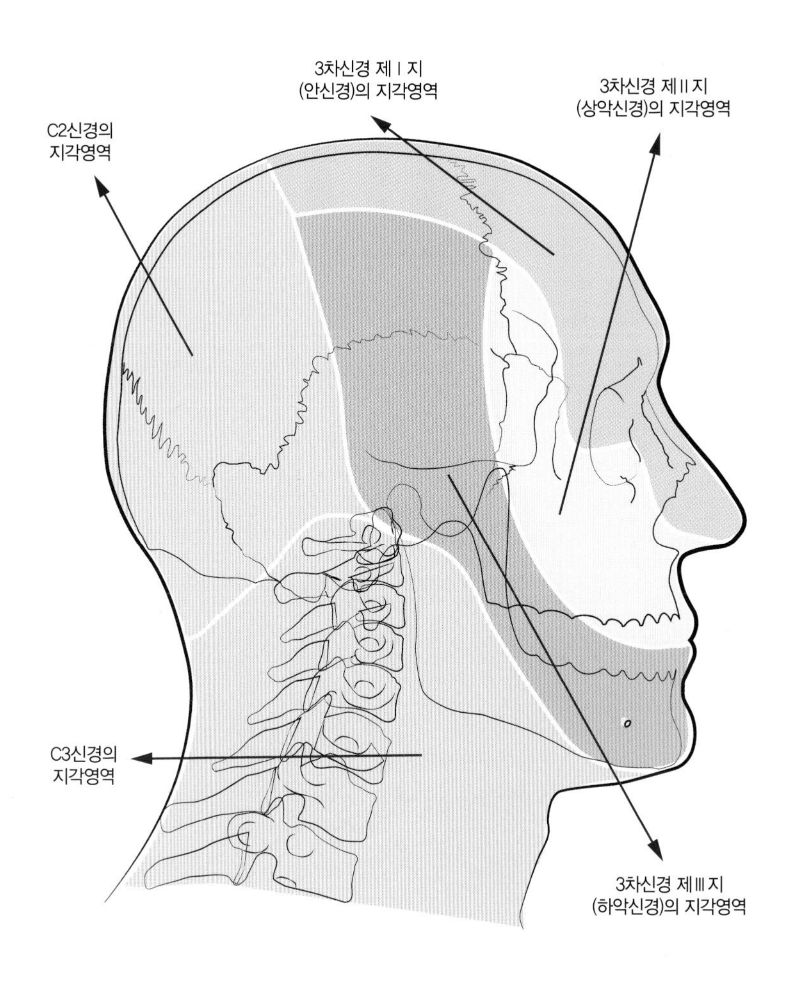

외측면

2-13 두부의 신경지각영역(3)

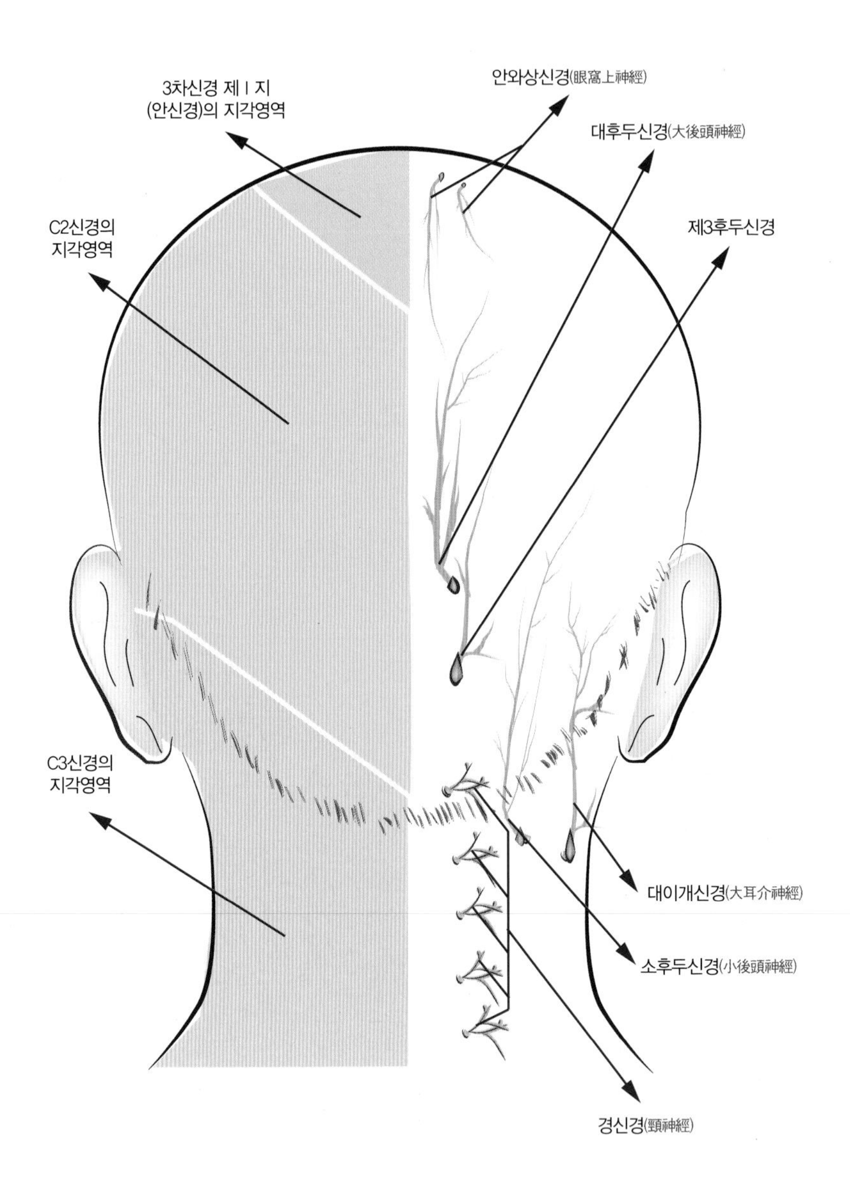

후면

2-14 두부의 횡단면

두정부를 지나는 관상단(冠狀斷)(전두단:前頭斷) 이다.

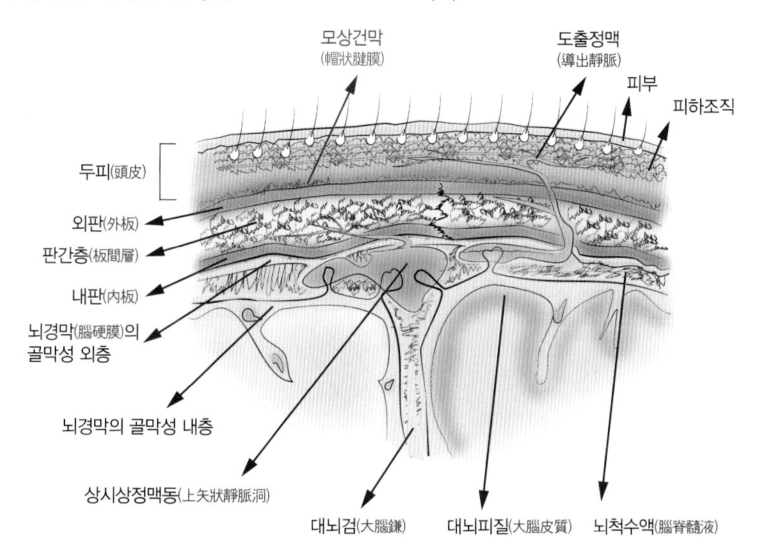

● 두피(頭皮)

두개관(頭蓋冠)을 덮으며, 피부, 피하조직, 모상건막, 소성결합조직 및 골막의 5층으로 구성된다.

· 피부에는 머리카락이 자라고, 머리카락과 함께 많은 모포선(毛包腺)이 있어서, 풍부한 혈류가 공급되고 있다.

· 피하조직은 지방조직을 포함하는 밀성결합조직이다. 강인한 조직으로, 혈관에 풍부하다. 상층의 피부와 하층의 모상건막을 강하게 결합시킨다.

· 모상건막(帽狀腱膜)은 두개관을 덮는 편평한 건막이다. 전방은 전두근, 후방은 후두근에 연결되며, 치밀한 섬유상조직의 튼튼한 층이다. 두침을 자입하는 깊이는 모상건막까지이며, 그 기준이 된다.

· 소성결합조직은 피부, 피하조직과 모상건막의 3층과 골막을 느슨하게 결합시키는 층이다. 감염, 혈종이 되기 쉬운 부위이므로, 두침시에는 주의를 요한다.

· 골막은 두골을 덮는다. 골과의 결합이 느슨하지만, 봉합에서는 치밀하게 결합시킨다.

협의의 두피는 피부, 피하조직 및 모상건막의 3층으로 이루어지며, 치밀하게 결합되어 있다.

● 두피로의 혈액순환(p24, 25 참조)

5줄의 동맥은 피하조직층을 유주한다. 전두부에 혈류를 공급하는 것은 내경동맥에서 분기하는 활차상동맥(滑車上動脈)과 안와상동맥(眼窩上動脈)의 2줄이다. 전두부에서 측두부, 두정부 및 후두부에 분포하는 것은 외경동맥에서의 천측두동맥(淺側頭動脈), 후이개동맥(後耳介動脈) 및 후두동맥(後頭動脈)의 3줄이다.

정맥은 같은 이름의 동맥에 수반하고 있지만, 두개의 안팎을 교통하는 것은 도출정맥(導出靜脈)이라고 하며, 두개 외부의 염증이 두개내로 확산되는 경로가 되므로, 두침시에 주의를 요한다.

● 림프

전두부, 두정부 및 측두부에서의 림프는 천이하선(淺耳下腺) 림프절로, 후두부에서의 림프절은 후두림프절, 이개후림프절로 흘러 들어간다.

2-15 뇌기능영역의 체표구획

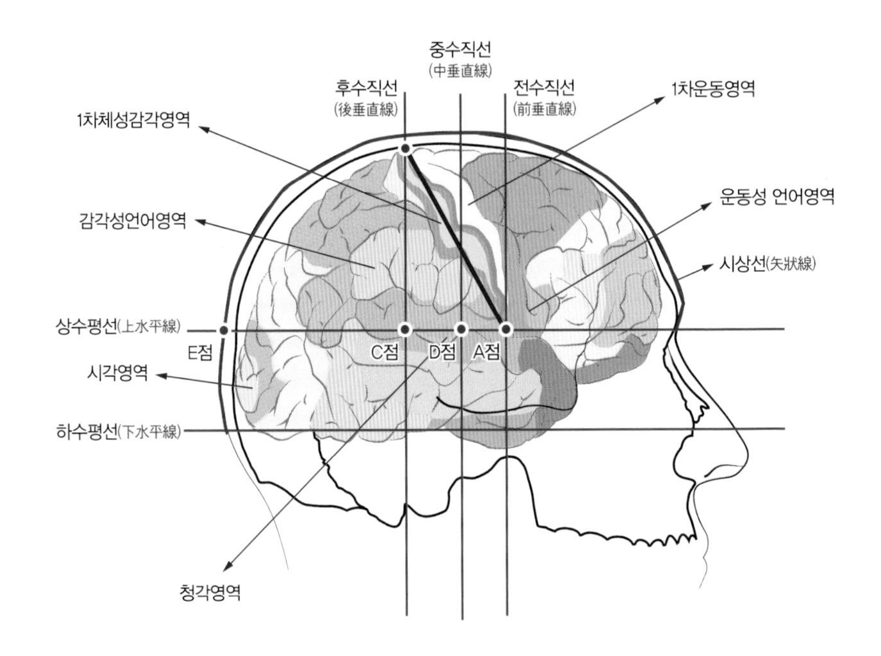

두침치료를 위한 라인

두침치료 부위를 정하기 위해서 두개관(頭蓋冠)을 6줄의 라인으로 구획한다.

- 시상선(矢狀線) : 비근(鼻根)과 후두융기(後頭隆起)의 중점을 지나는 라인.
- 하수평선(下水平線) : 안와하연(眼窩下緣)과 외이도(外耳道) 상연을 연결하는 라인.
- 상수평선(上水平線) : 하수평선과 평행하게, 안와상연(眼窩上緣)을 지나는 라인.
- 전수직선(前垂直線) : 하수평선과 직교하고, 협골궁(頰骨弓)의 중점을 지나는 라인.
- 중수직선(中垂直線) : 하수평선과 직교하고, 하악두(하악골의 관절돌기) 를 지나는 라인.
- 후수직선(後垂直線) : 하수평선과 직교하고, 유양돌기관절의 후연을 지나는 라인.

주요한 대뇌기능영역의 투영

- 중심구 : 전수직선상과 상수평선의 교점을 A점이라고 하고, 후수직선과 시상선의 교점을 B점이라고 한다. A점과 B점을 연결하는 사선은 중심구를 투영한다.
- 1차운동영역 : 중심구의 전방 1.5촌의 구역에 있다.
- 1차체성감각영역 : 중심구의 후방 1.5촌의 구역에 있다.
- 운동성 언어영역 : 전수직선과 상수평선의 교점(A점) 의 전상방에 있다.
- 감각성 언어영역 : 후수직선과 상수평선의 교점(C점) 의 후상방에 있다.
- 청각영역 : 중수직선과 상수평선의 교점(D점) 의 하방에 있다.
- 시각영역 : 시상선(矢狀線), 외후두융기와 상수평선의 교점(E점) 의 하방에 있다.

CHAPTER 03

두침 부위

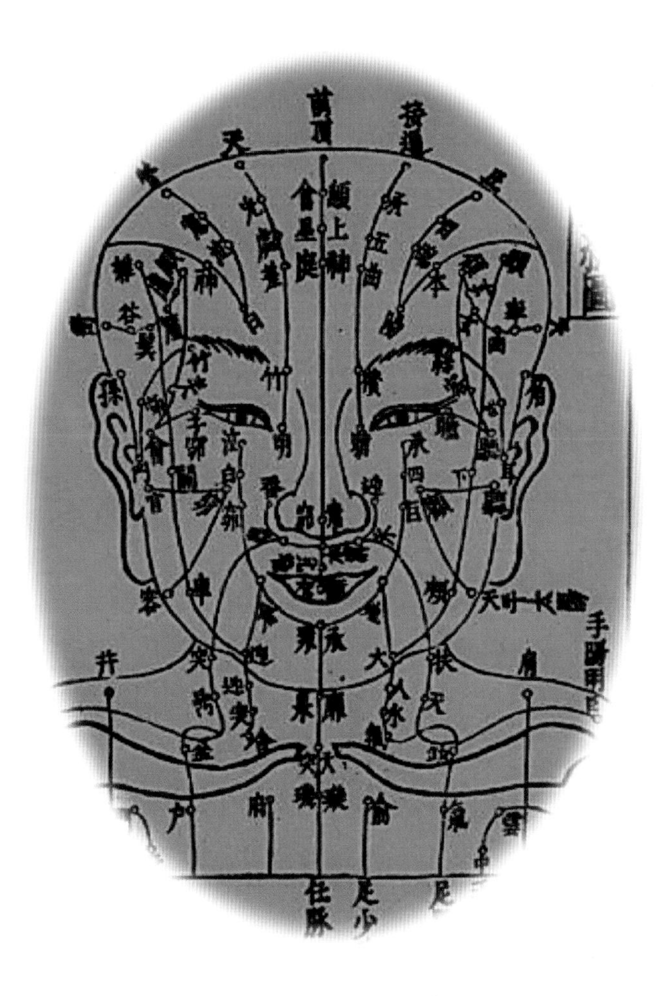

3-1 액구(額區)(1)

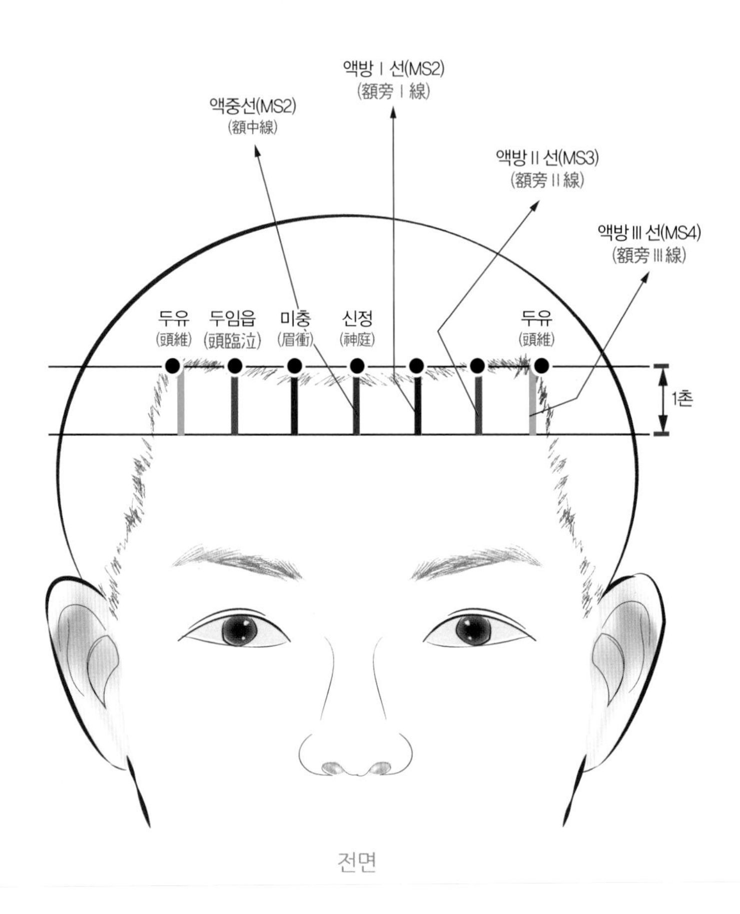

전면

부위	두침명칭	취혈법
액구 (額區)	액중선(額中線) (MS1)	앞정중선상, 신정(神庭)(독맥)을 기점으로 하여 아래쪽으로 1촌인 수직선.
	액방 I 선(額旁 I 線) (MS2, 액측 I 선)	내안각의 바로 위,미충(眉衝)(방광경) 을 기점으로 하여 아래쪽으로 1촌인 수직선.
	액방 II 선(額旁 II 線) (MS3, 액측 II 선)	동공의 바로 위. 두임읍(頭臨泣)(담경) 을 기점으로 하여 아래쪽으로 1촌인 수직선.
	액방 III 선(額旁 III 線) (MS4, 액측 III 선)	두유(頭維)(위경) 내측의 0.75촌을 기점으로 하여 아래쪽으로 1촌인 수직선.

3-1 액구(額區)(2)

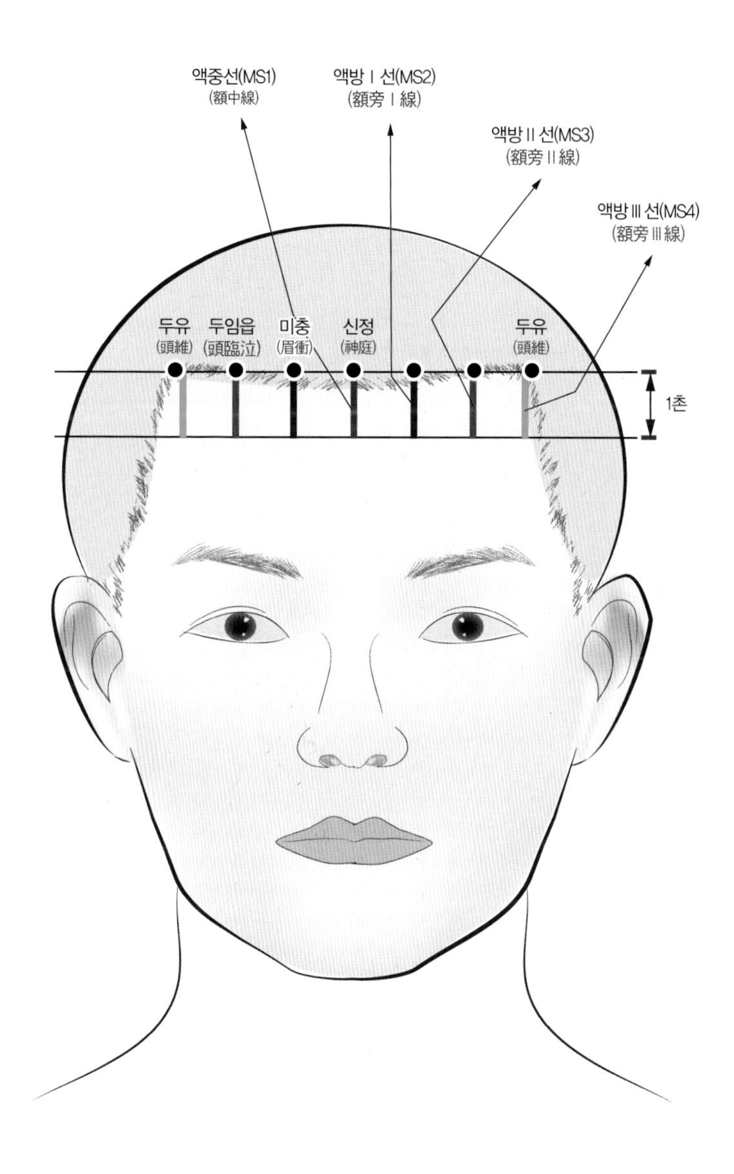

전면(컬러)

3-1 액구(額區)(3)

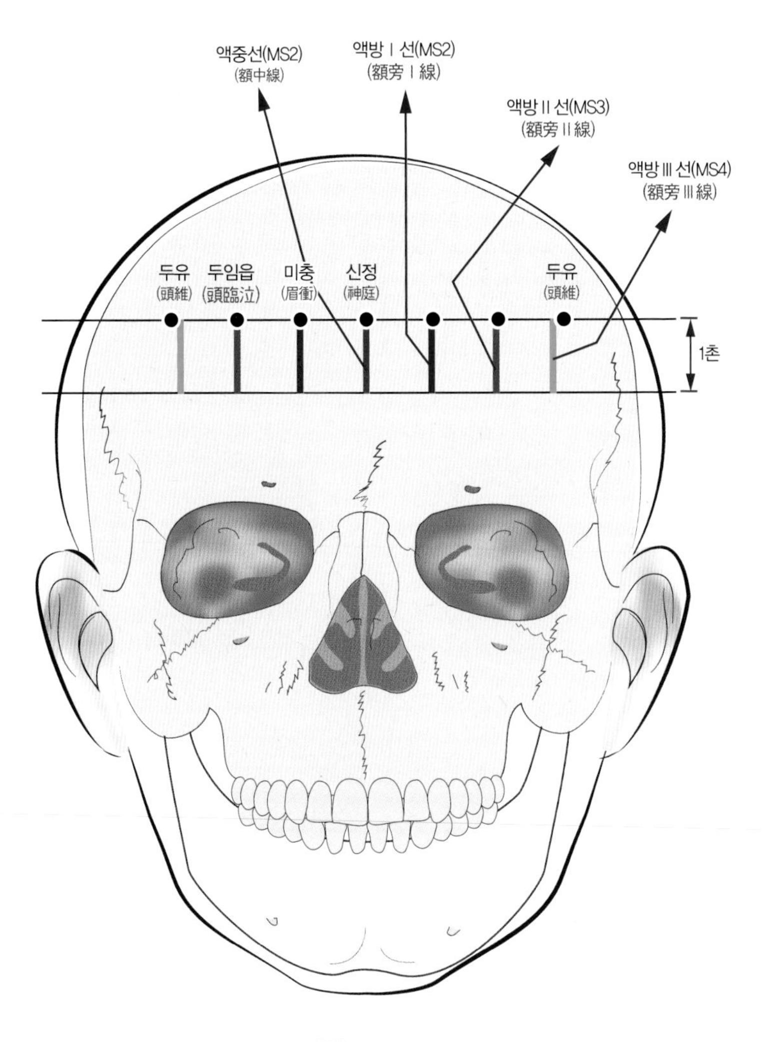

전면(두개골 표식)

3-1 액구(額區)(4)

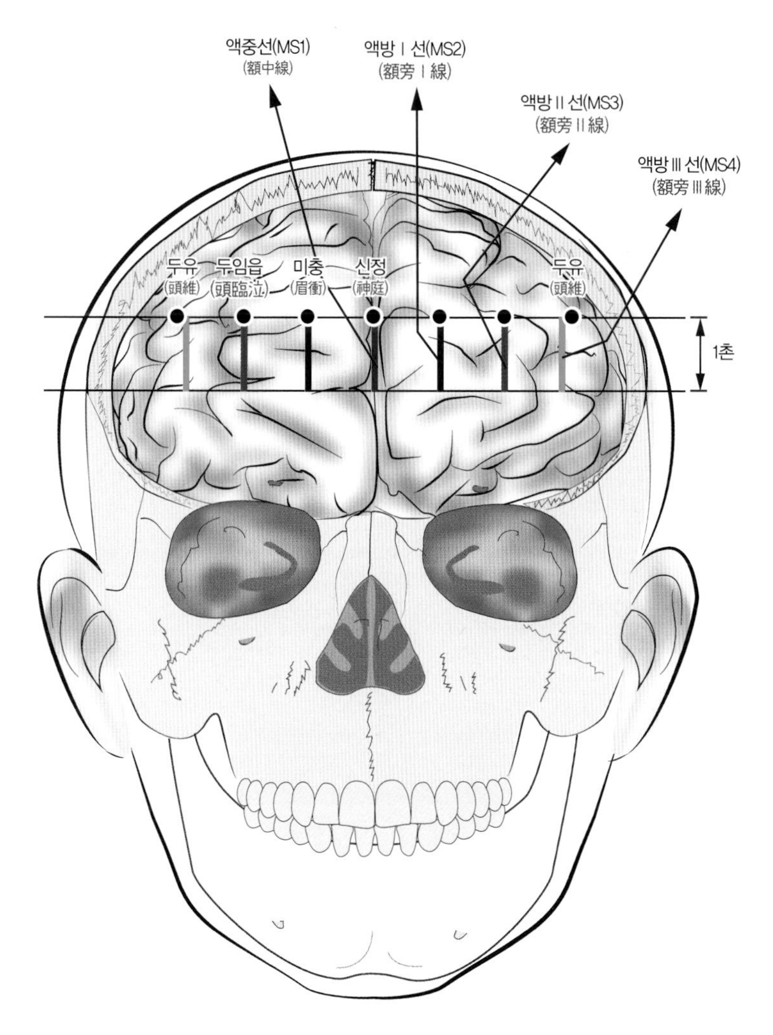

전면(대뇌피질의 체표표식)

3-2 측두구(側頭區)(1)

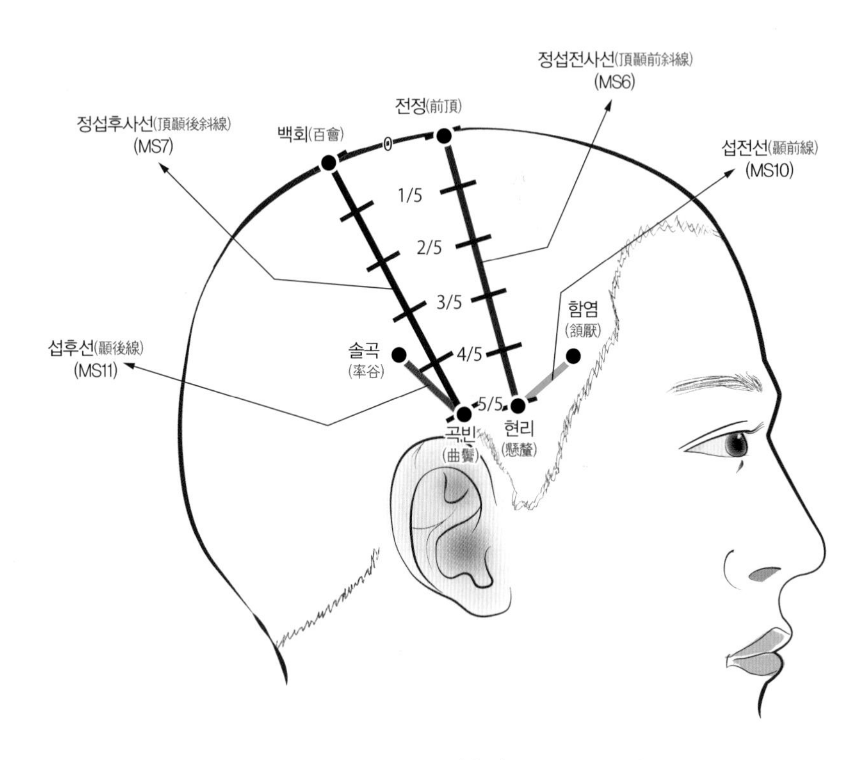

외측면

부위	두침명칭	취혈법
측두구 (側頭區)	정섭전사선(頂顳前斜線) (MS6, 측두전사선)	두정부와 측두부, 전정(前頂)(독맥) 에서 현리(懸釐)(담경) 까지의 사선, 다시 그것을 5등분한다.
	정섭후사선(頂顳後斜線) (MS7, 측두후사선)	두정부와 측두부, 백회(百會)(독맥) 에서 곡빈(曲鬢)(담경) 까지의 사선, 다시 그것을 5등분한다.
	섭전선(顳前線) (MS10, 측두전선)	측두부, 함염(頷厭)(담경) 과 현리(懸釐)(담경) 까지의 사선.
	섭후선(顳後線) (MS11, 측두후선)	측두부, 솔곡(率谷)(담경) 과 곡빈(曲鬢)(담경) 까지의 사선.

3-2 측두구(側頭區)(2)

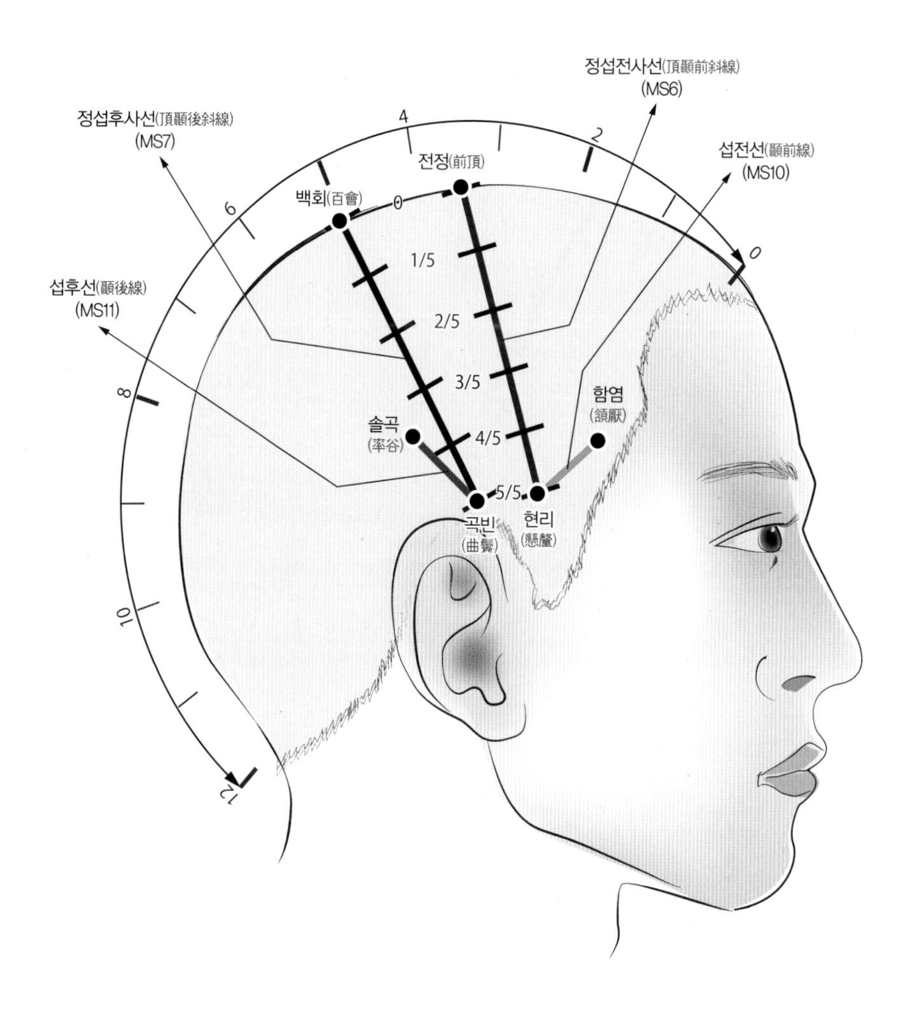

외측면(컬러)

3-2 측두구(側頭區)(3)

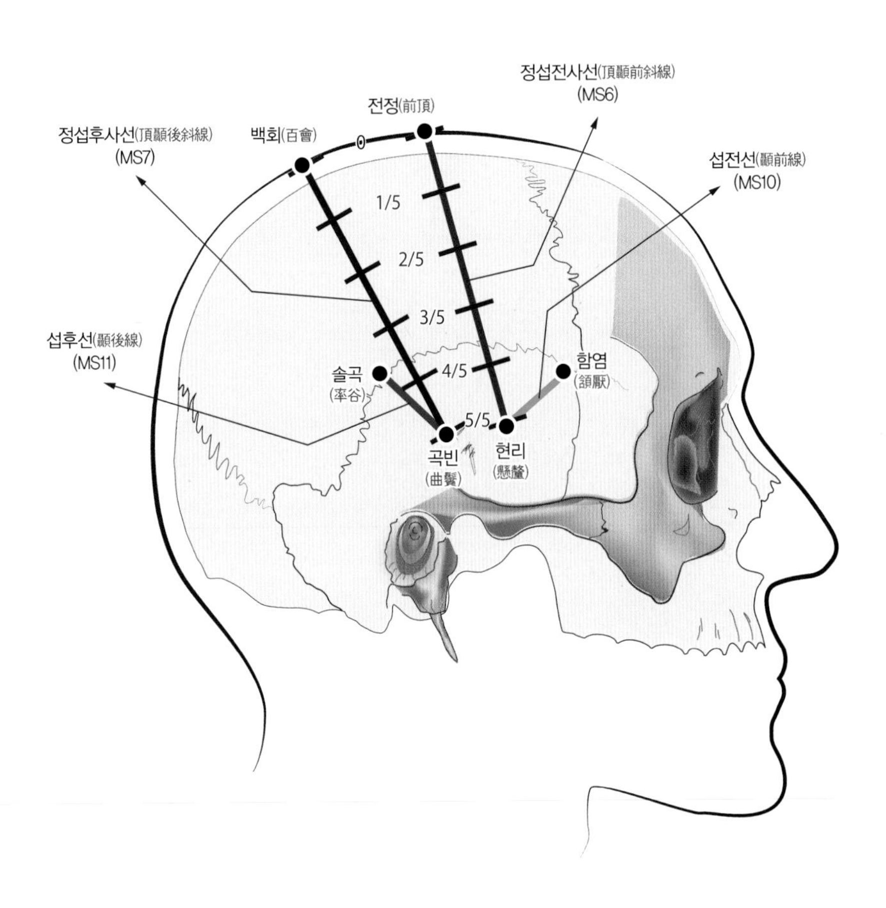

외측면(두개골 표식)

3-2 측두구(側頭區)(4)

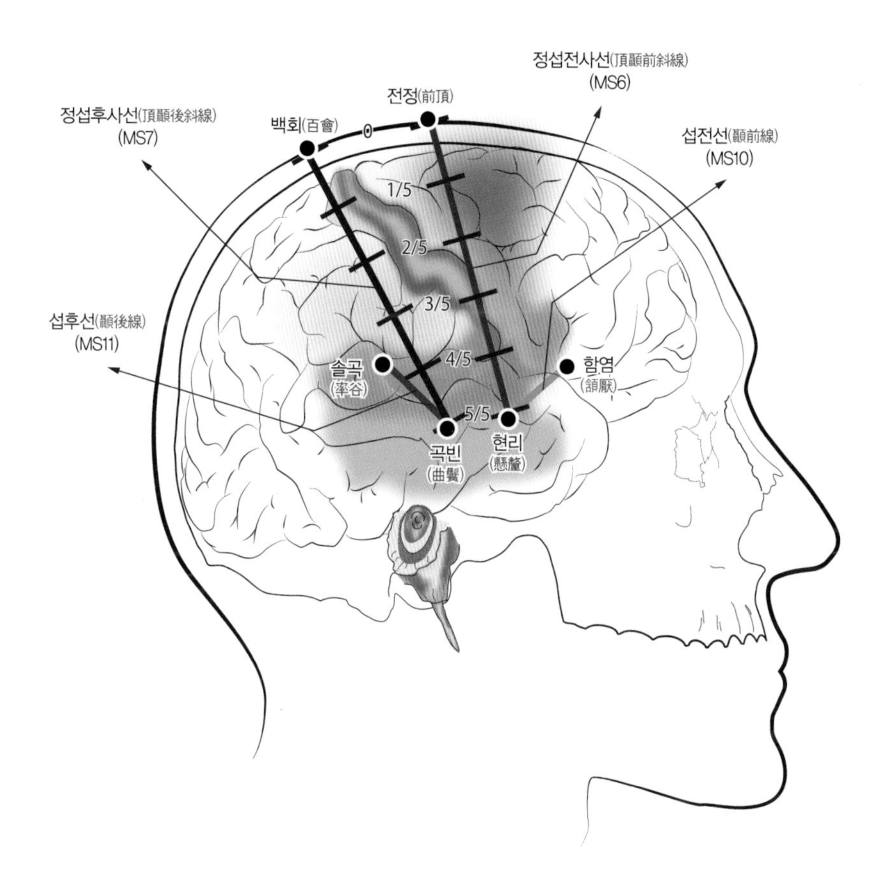

외측면(대뇌피질의 체표 표식)

3-3 두정구(頭頂區)(1)

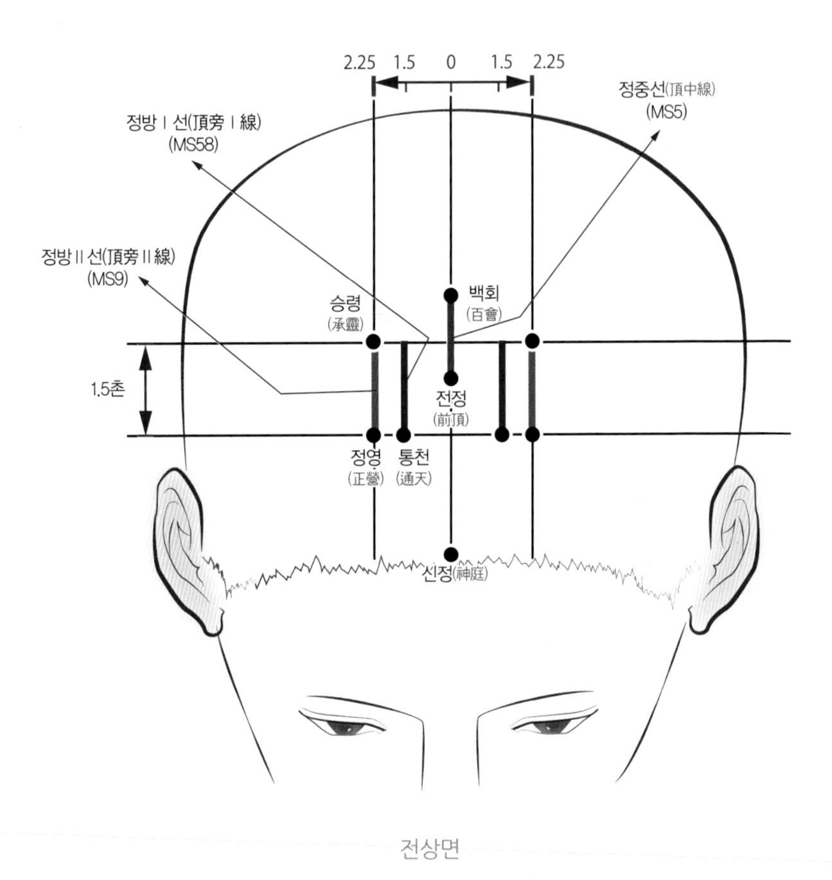

전상면

부위	두침명칭	취혈법
두정구 (頭頂區)	정중선(頂中線) (MS5, 두정선)	정중선상, 백회(百會)(독맥) 에서 전정(前頂)(독맥) 까지의 직선.
	정방 I 선(頂旁 I 線) (MS8, 두정 I 선)	정중선 바깥쪽 1.5촌, 통천(通天)(방광경) 에서 뒤쪽으로 1.5촌의 직선.
	정방 II 선(頂旁 II 線) (MS9, 두정 II 선)	정중선 바깥쪽 2.25촌, 정영(正營)(담경) 에서 승령(承靈)(담경) 까지 1.5촌의 직선.

3-3 두정구(頭頂區)(2)

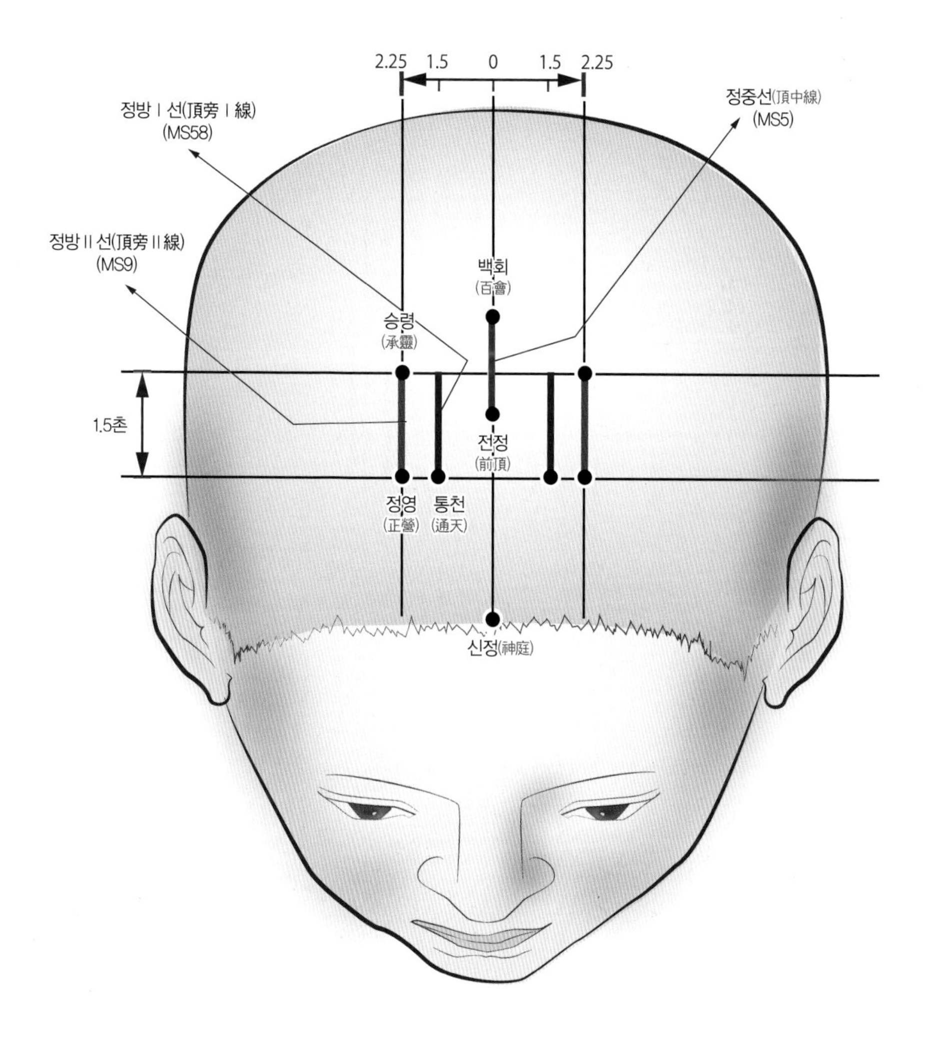

전상면(컬러)

3-3 두정구(頭頂區)(3)

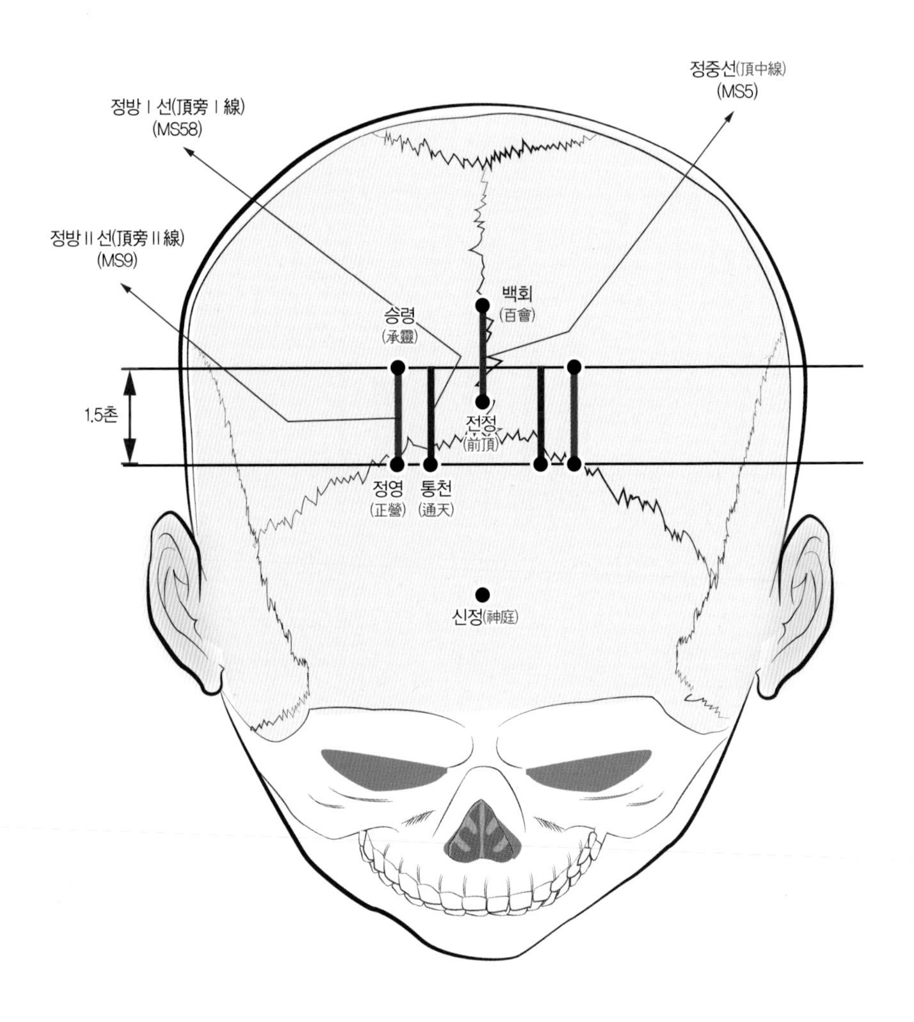

전상면(두개골 표식)

3-3 두정구(頭頂區)(4)

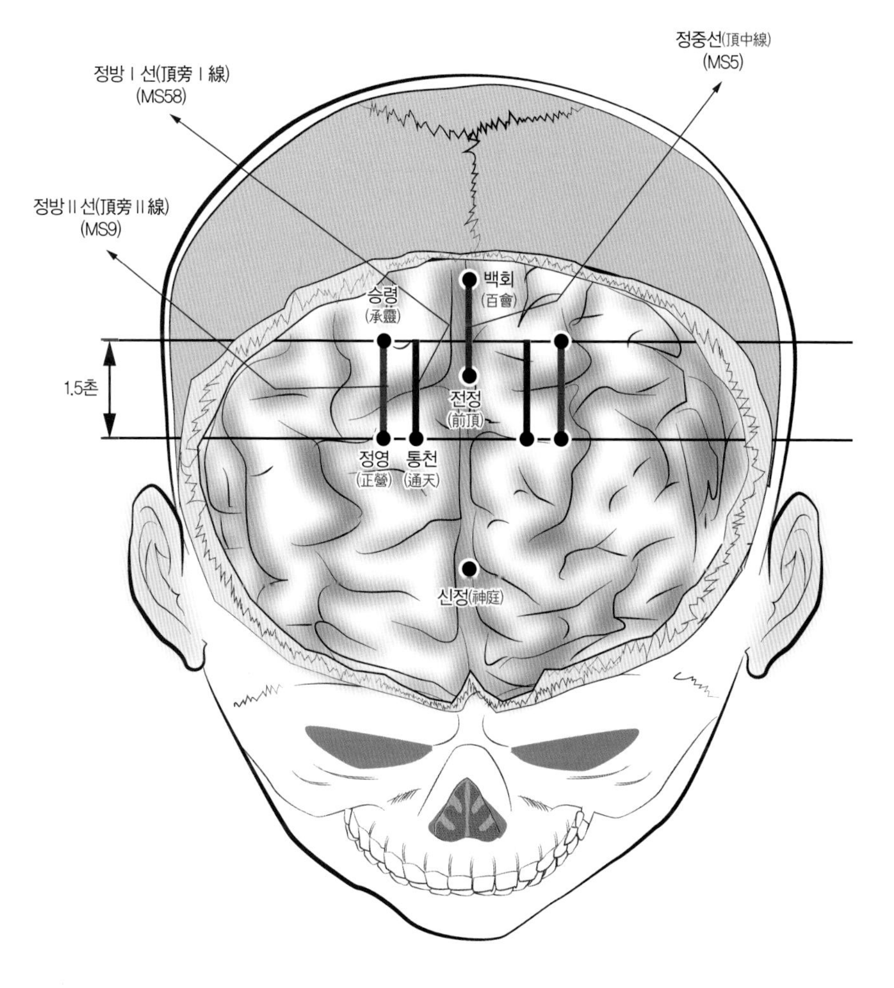

전상면(대뇌피질의 체표표식)

3-4 후두구(後頭區)(1)

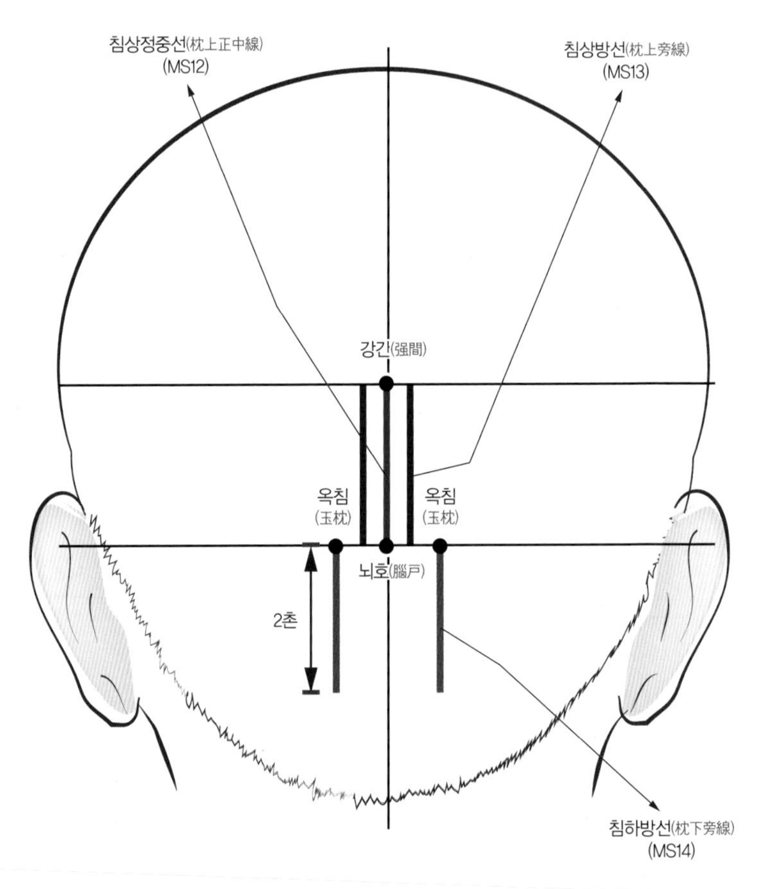

후면

부위	두침명칭	취혈법
후두구 (後頭區)	침상정중선(枕上正中線) (MS12)	후두부 후정중선상, 강간(强間)(독맥) 에서 뇌호(腦戶)(독맥) 까지의 직선.
	침상방선(枕上旁線) (MS13, 침상측선)	후두부, 외후두 융기에 있는 뇌호(腦戶)(독맥) 에서 외방 0.5촌, 후정중선과의 평행선.
	침하방선(枕下旁線) (MS14, 침하측선)	후두부, 옥침(玉枕)(방광경) 에서 아래로 2촌까지의 수직선.

3-4 후두구(後頭區)(2)

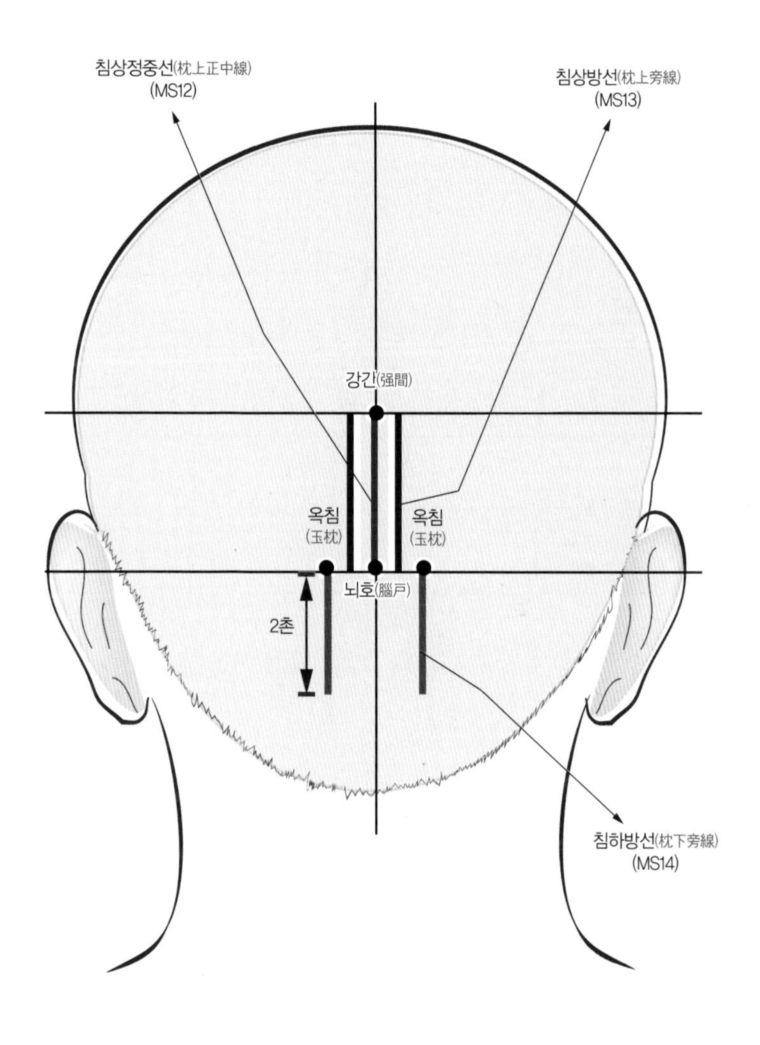

후면(컬러)

3-4 후두구(後頭區)(3)

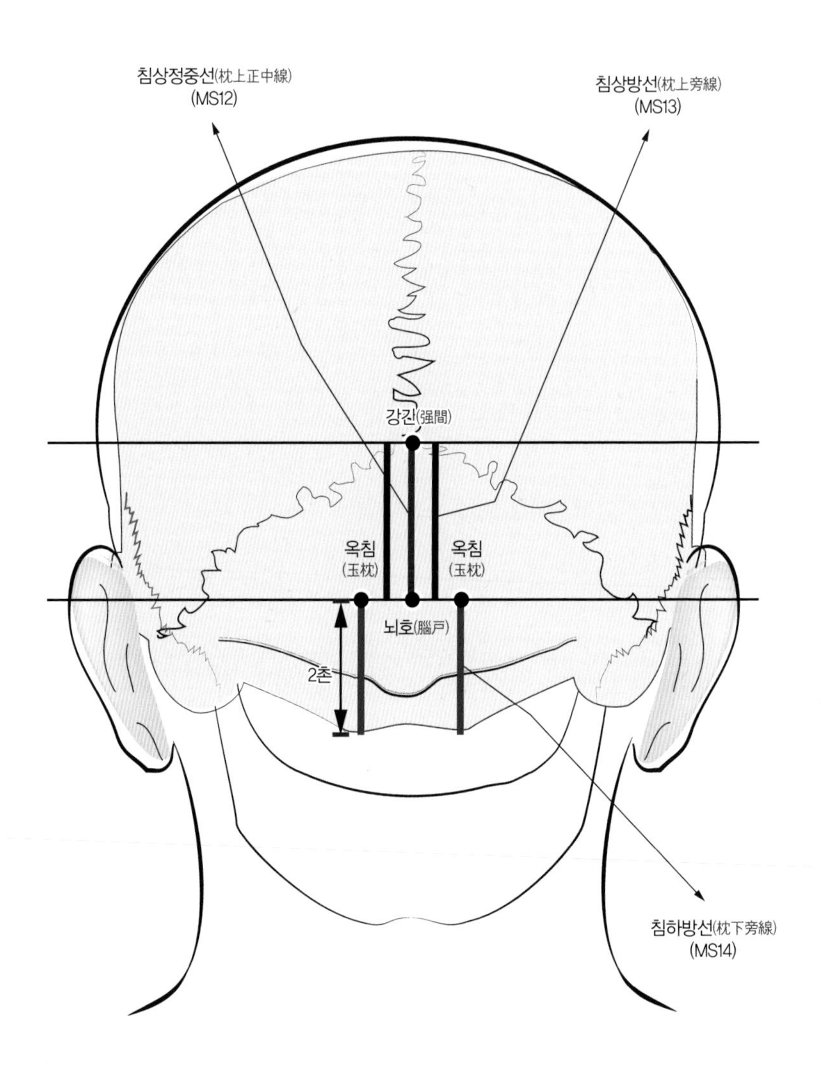

후면(두개골 표식)

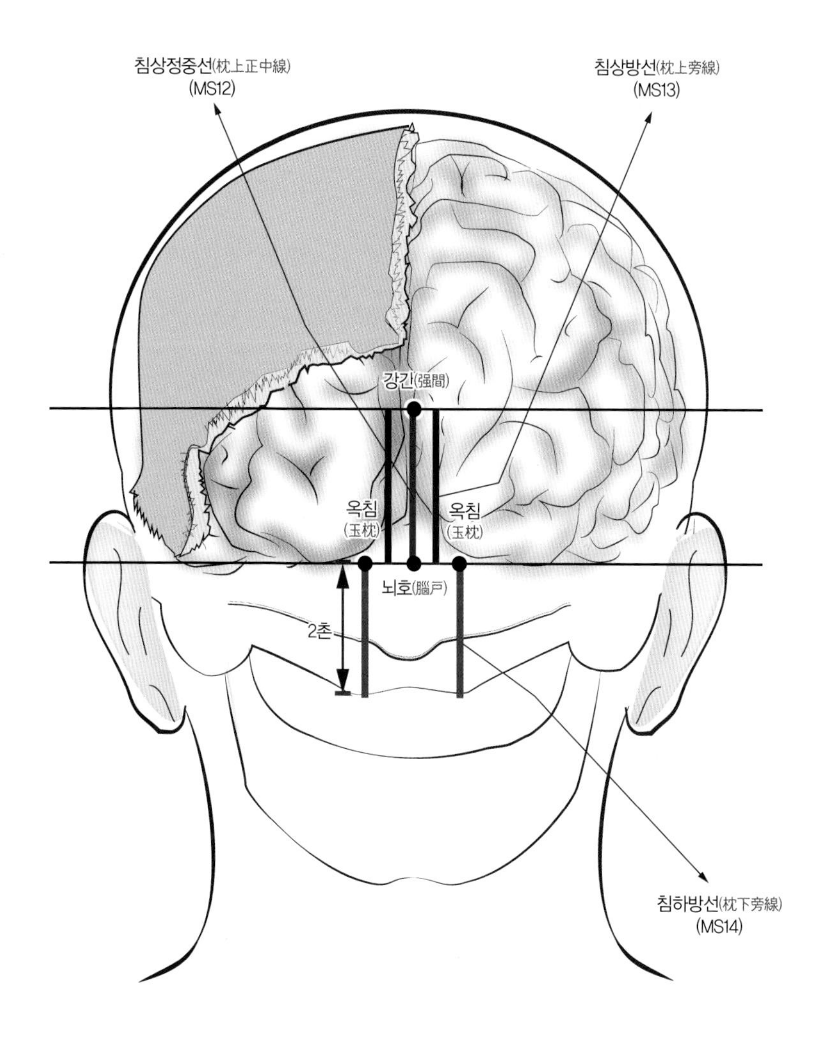

후면(대뇌피질의 체표표식)

CHAPTER 04

두침의 자법(刺法)

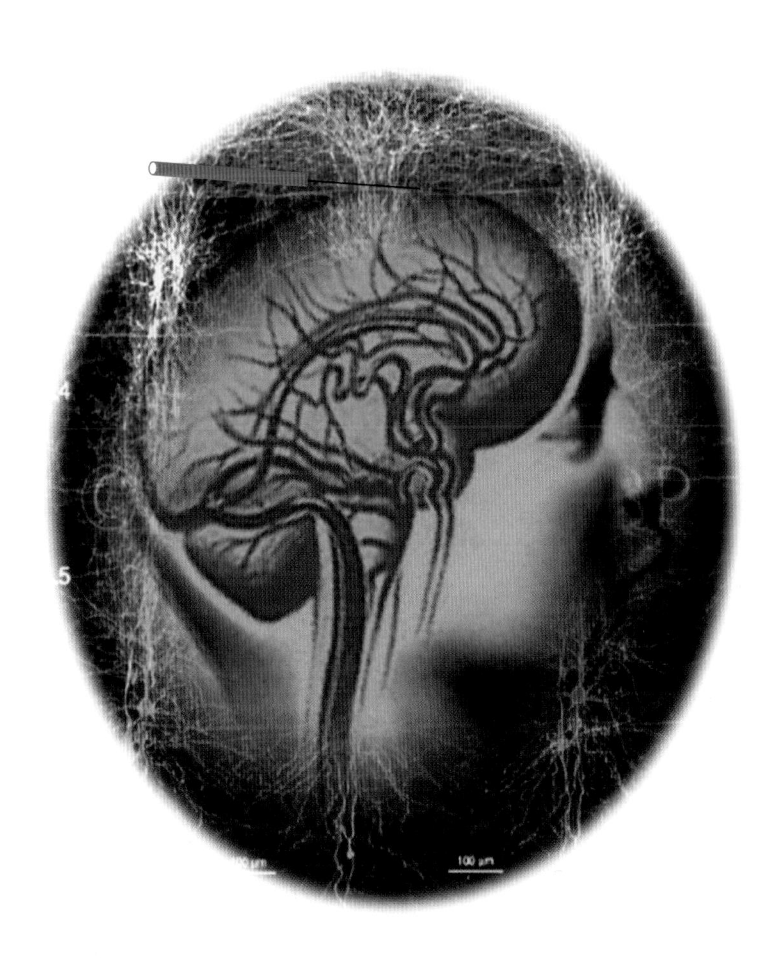

4-1 침구(鍼具)와 자입법

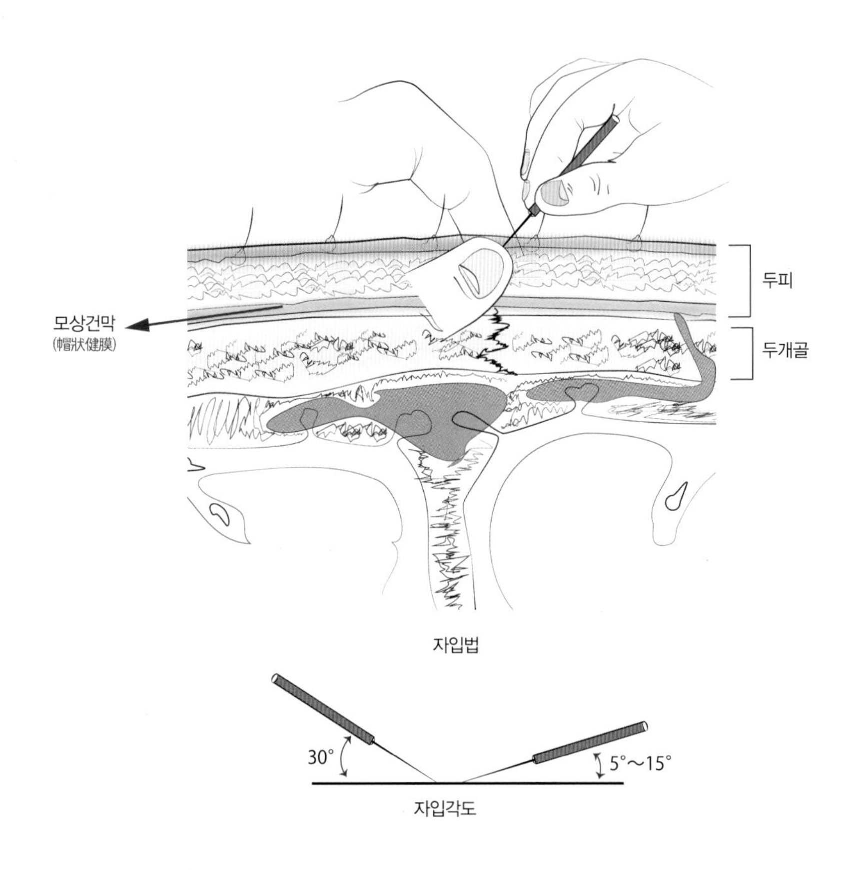

자입법

자입각도

침구

중국침 : 침지름 0.25mm~0.30mm, 침길이 0.5촌(15mm)~1.5촌(40mm)

일본침 : 1번(침지름 0.16mm)~5번(침지름 0.25mm), 침길이 15mm~40mm

자입각도 : 15° ~ 30°로, 모상건막까지 자입한다.

체위와 자입법 : 앙와위가 많지만, 좌위를 취하기도 한다. 자입시에 가르마를 타서, 두피를 노출시키고, 모낭을 피하여 자입한다.

유침

자입 후, 30분~60분간 유침한다. 그 사이에 수기를 추가하기도 한다.

쾌속염전법(快速捻轉法) : 모상건막(帽狀腱膜)까지 침을 재빨리 자입한다. 자입부위가 이동하지 않도록 시술자의 어깨, 팔꿈치 및 팔관절은 자입시의 자세를 유지한다. 모지와 시지로 침병을 잡으면서 시지의 전후이동으로, 침을 빈도 200회/분으로 염전시킨다. 시술시간은 2~3분. 단시간에 치료목표인 자극의 강도까지 이른다.

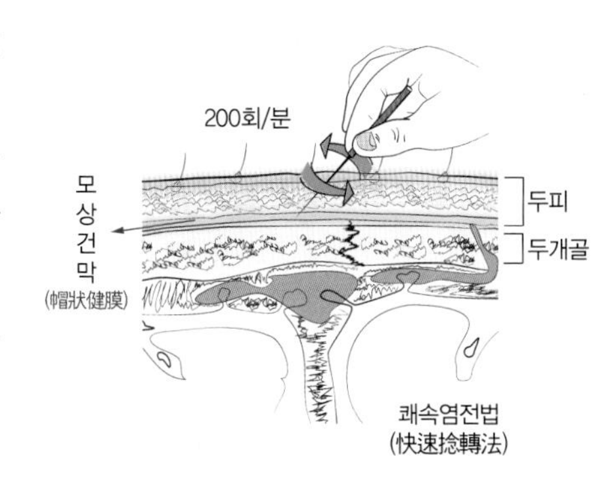

쾌속염전법
(快速捻轉法)

제삽법(提揷法) : 추기법(抽氣法) 과 진기법(進氣法) 의 2가지로 나뉜다.

· 추기법(抽氣法) : 침을 모상건막까지 자입한 후에 침을 5°~15° 까지 눕힌다. 3mm폭으로 침의 제삽(잡아 빼기와 찔러 넣기) 을 반복한다. 잡아 뺄 때에는 손가락 힘으로 빠르고 세게 하지만, 본래위치에 자입할 때는 천천히 한다. 시술시간은 2~3분.

· 진기법(進氣法) : 3mm폭으로 침의 제삽(잡아 빼기와 찔러 넣기) 을 반복하지만, 추기법과는 수기를 반대로 한다. 잡아 뺄 때는 천천히, 다시 자입할 때에는 손가락 힘으로 빠르고 세게 한다. 시술시간은 2~3분. 순식간에 손가락 힘으로 제삽하는 수기로 3mm폭에서의 작탁(雀啄) 수기와 유사하다. 자입시 통증이 적고, 즉시효과를 얻을 수 있다.

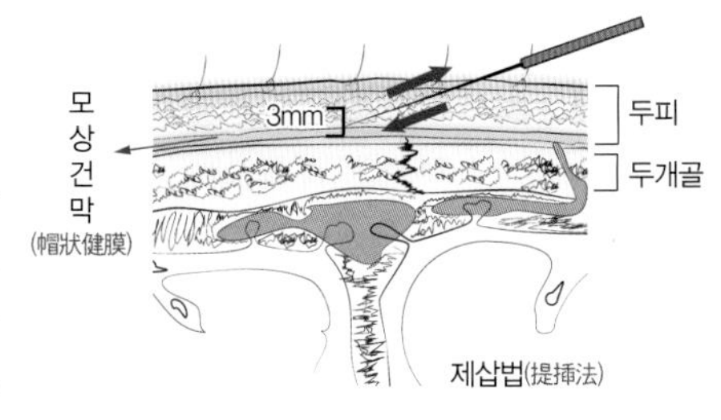

제삽법(提揷法)

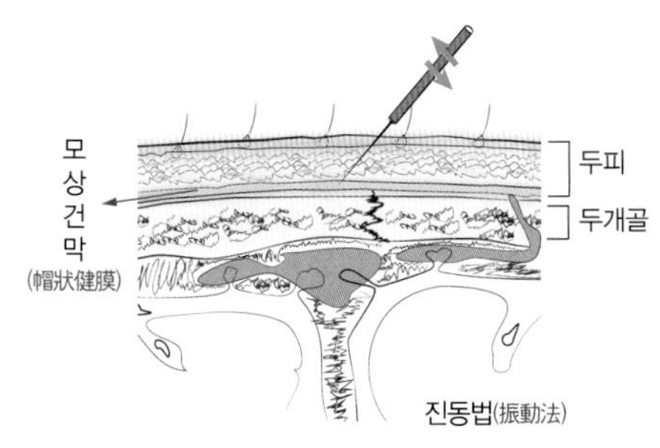

진동법(振動法)

진동법(振動法) : 침을 모상건막까지 자입한다. 침을 1/3정도 잡아 빼고, 가볍게 9회정도 제삽, 염전함으로써 침체(鍼体)에 미진동을 주고 있다. 득기(得氣)(침의 울림) 후에 1분간 유침한다. 3~4분마다 수기를 하고, 9회정도 반복한다.

4-3 침법(鍼法)

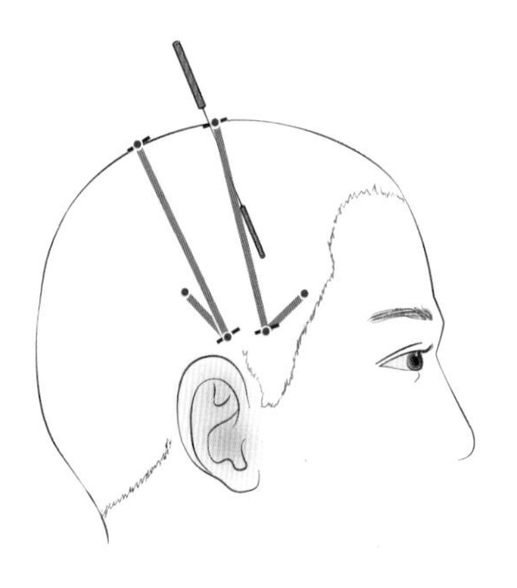

대자법(對刺法)

● **대자법(對刺法)**

두침의 치료부위 (라인) 에 침끝이 서로 대응하도록 21개의 침을 자입한다.

● **교차자법(交叉刺法)**

두침의 치료부위 (라인) 에 2개의 침을 교차하도록 자입한다.

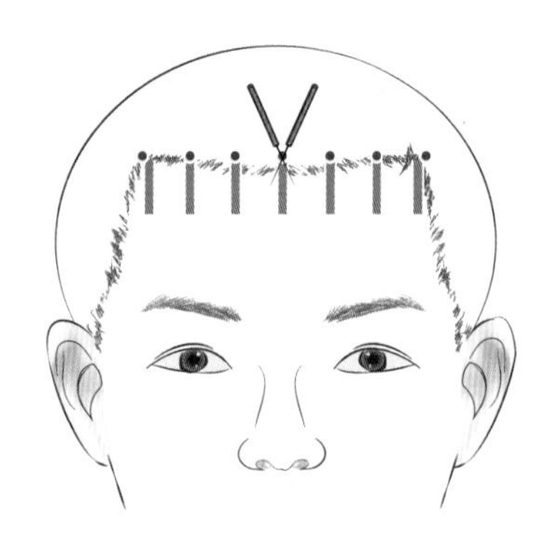

교차자법(交叉刺法)

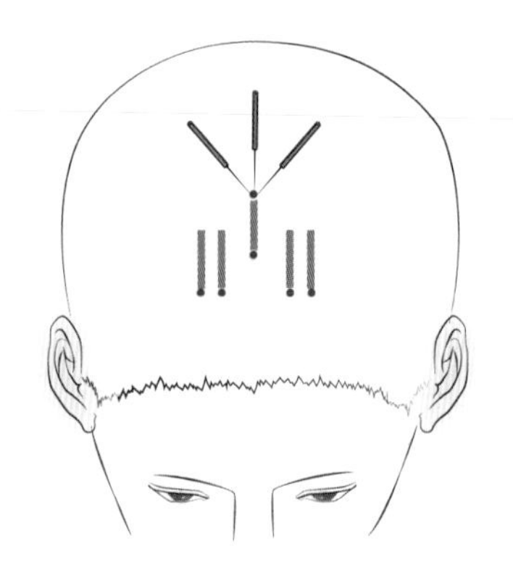

제자법(齊刺法)

● **제자법 (齊刺法)**

두침의 치료부위 (라인) 에 3개의 침을 한 곳의 치료포인트에 맞추어 자입한다.

4-4 전기펄스(전침법·電鍼法)

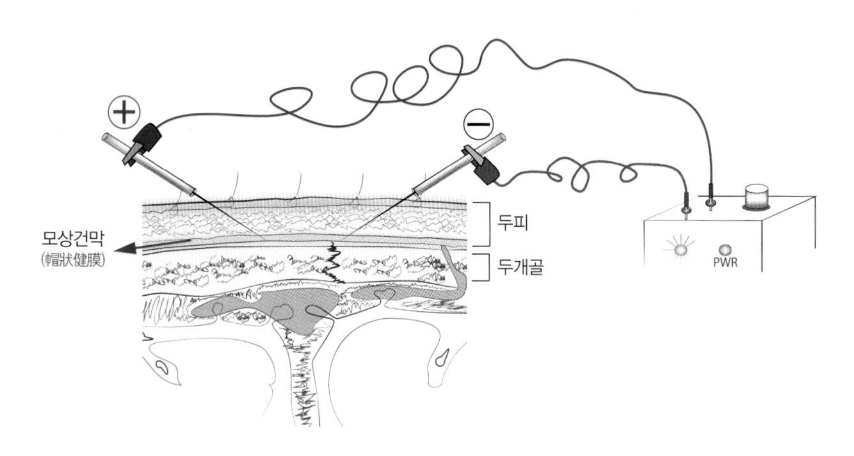

· 접속방법 : 2개의 침은 2~3cm의 간격을 두고 자입한다. (+) 와(−) 전극을 침자루에 붙인다. 주요 치료혈을(+) 전극으로 하는 것이 일반적이다.

· 전류의 강도 : 전기자극에 대한 환자의 감도와 치료의 목표에 따라서, 강자극, 중자극 및 약자극의 3가지로 나눈다. 통전하기 시작하면 전류의 강도를 올린다. 통증 및 진전, 수축 등이 전류의 강도에 대한 강도역치의 기준이다. 통전치료 중, 그 역치까지 이르지 않도록 주의한다.

임상에서 강자극은 통합실조증, 근육위축증 및 편마비 등의 뇌질환, 중자극은 진통이나 일반병증, 약자극은 심신증이나 진정, 자율신경실조 등에 응용되고 있다.

· 파형과 주파수 : 정현파, 극파 등 단형파의 3가지를 조합하여 연속파, 소밀파, 단속파 및 극파를 형성한다.

· 연속파(連續波) : 억제효과가 있으며 동통이나 근육경련에 사용한다.
· 소밀파(疎密波) : 진통, 혈액순환의 개선이나 수분대사에 적응하고, 동통, 운동장애, 수종(水腫) 등의 질환에 사용한다.
· 단속파(斷續波) : 흥분작용이 있으며, 이완성 마비, 근육위축, 말초신경장애 등에 사용한다.
· 극파(棘波) : 흥분, 전신조정 및 기혈소통에 사용한다.
· 두침전기펄스의 주파수는 30~100Hz 사이로 조정한다. 임상에서는 100Hz정도는 진통, 진정, 30Hz정도는 흥분작용을 한다.

4-5 피내침(皮內鍼)

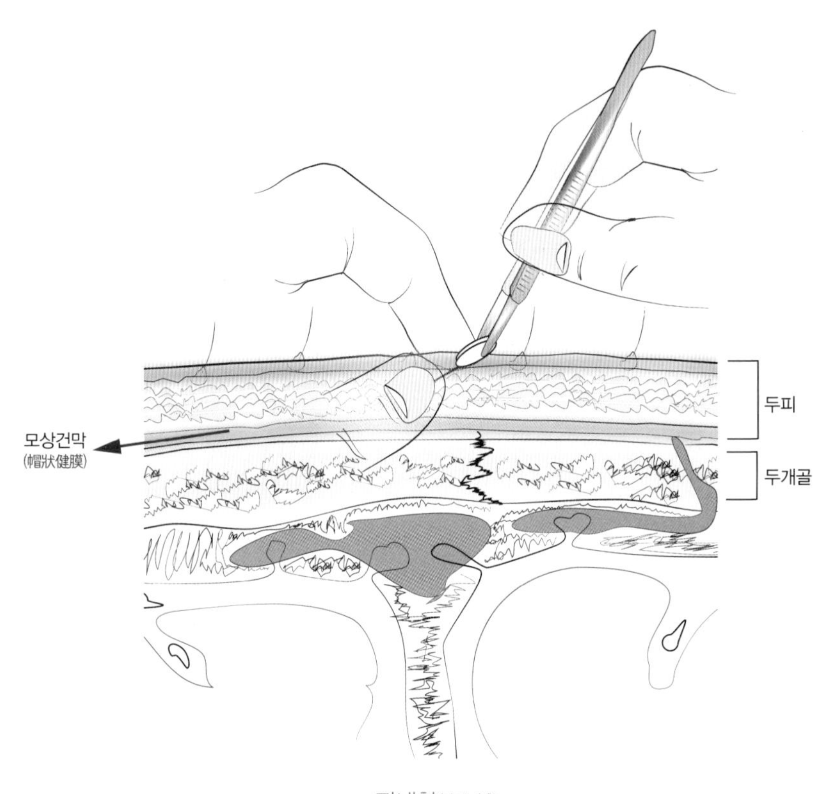

피내침(皮內鍼)

피내침 또는 피부침을 두피 아래에 유침함으로써, 지속적인 자극효과를 도모하고 있다. 만성질환, 동통성질환 등을 적응증으로 한다. 피내침은 JIS T9301 : 2005규격에 의해서, 침지름 0.12mm~0.14mm, 침길이 3mm~6mm를 사용하지만, 침지름 0.20mm, 침길이 0.6mm~0.9mm의 세이린제 원피침(圓皮鍼)도 선택의 하나이다.

유침기간은 3~5일이지만, 계절, 환자에 따라서 조정한다. 환자에게 입욕시의 주의사항을 지도한다. 가려움증, 발적, 발진 등의 위화감이 있으면 중지한다.

4-6 자락(刺絡 사혈:瀉血)

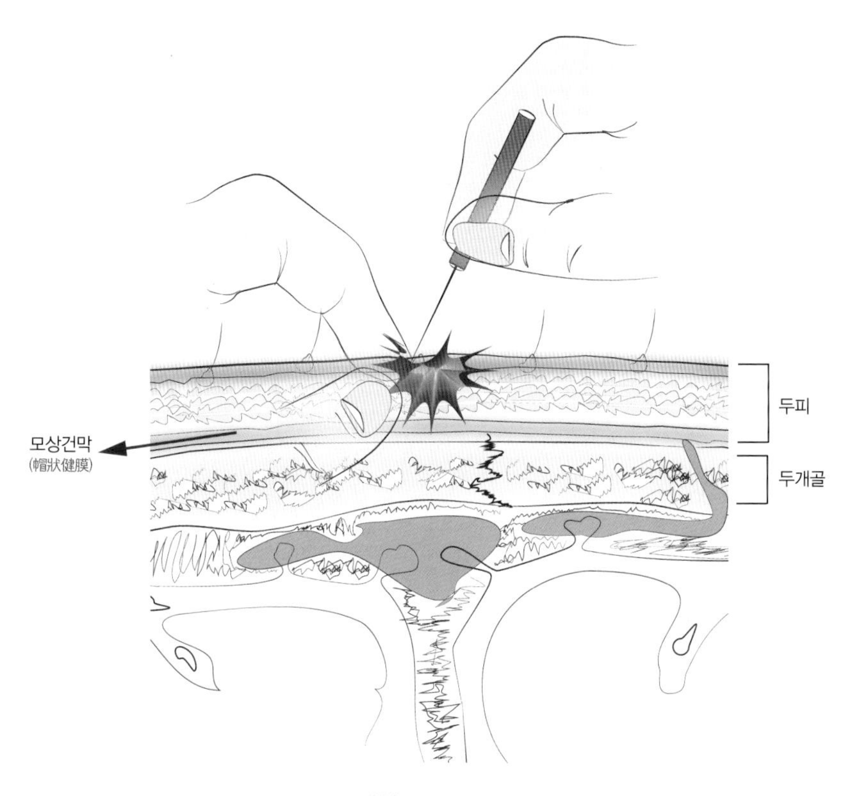

자락(刺絡)(사혈:瀉血)

사혈(瀉血)요법이라고도 한다. 발열, 완고한 동통, 고혈압 및 어혈(瘀血)을 치료목표로 한다. 두침의 임상에서는 그다지 사용빈도가 높지 않다. 예전에는 삼릉침(三稜鍼) 이라는 침구를 사용했지만, 현대에서는 감염을 방지하기 위해서 시판하는 채혈키트를 이용하는 것이 일반적이다. 감염방지에 각별히 주의하기 바란다.

4-7 금기 · 불량반응 · 과오

두침의 금기, 불량반응 및 부작용은 침구치료, 이침과 공통적이다. 자매서 "이혈 임상해부 MAP" 도 참조하기 바란다.

● 금 기

1) 두부의 중상감염, 염증 및 반흔.
2) 임신.
3) 심장병, 당뇨병, 빈혈 및 영양불량 등의 중증인 것.
4) 과도한 정신긴장, 중도의 과로.
5) 1세미만의 소아.

● 불량반응

1) 격통. 원인으로 침끝의 둔화, 느린 자입속도, 모낭, 골막 및 혈관, 반흔 등으로의 자입 등이 고려된다.
2) 출혈.
3) 운침(暈鍼). 일과성 뇌허혈증상이라고 생각된다. 안면창백, 현기증, 동계(動悸), 탈한(脫汗), 탈력(脫力), 저혈압, 구토 등의 임상증상이 나타난다.
4) 두피에 중압감, 과잉한 가려움증. 치침시에 나타나는 경우가 많다.
5) 체침(滯鍼). 발침시의 정체로, 침이 잘 빠지지 않는다. 체위의 변화, 장시간의 치침, 통 전 후의 경련, 정신적 긴장 등이 원인이다.
6) 만침(彎鍼) 과 절침(折鍼). 침구의 불량에 의한 것이다.

● 예방과 치료

1) 두침에 관해서 잘 설명한다.
2) 안정과 심호흡.
3) 적절한 체위를 취한다. 초진자에게는 와위(臥位)를 권한다.
4) 운침(暈鍼)과 체침(滯鍼)인 경우, 족삼리혈(足三里穴), 내관혈(內關穴) 및 합곡혈(合谷穴), 기해혈(氣海穴) 등을 이용한다.

CHAPTER 05

두침의 임상

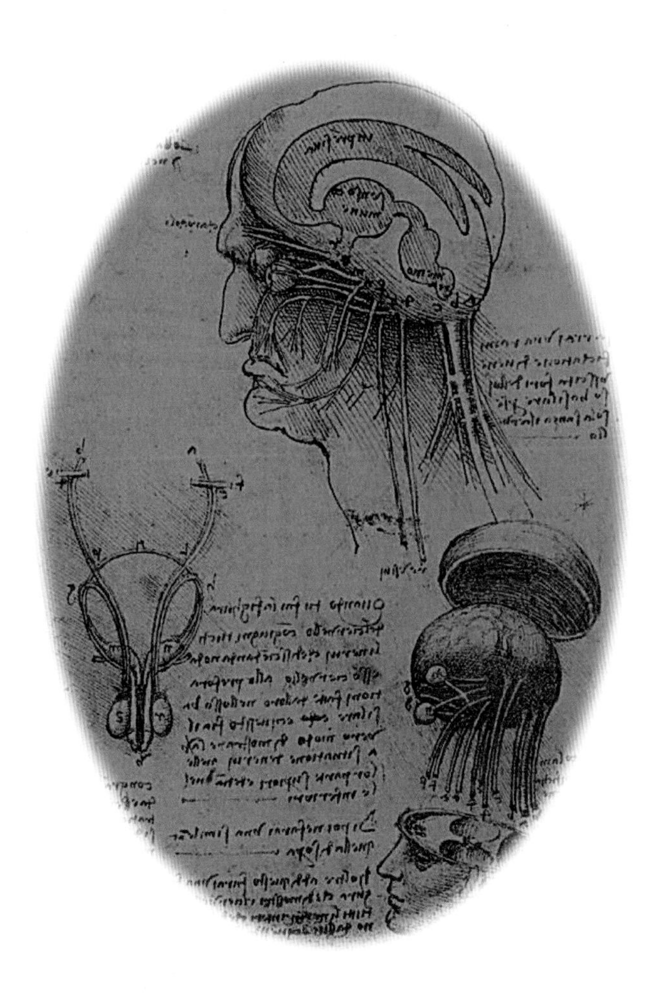

5-1 정신질환의 두침요법

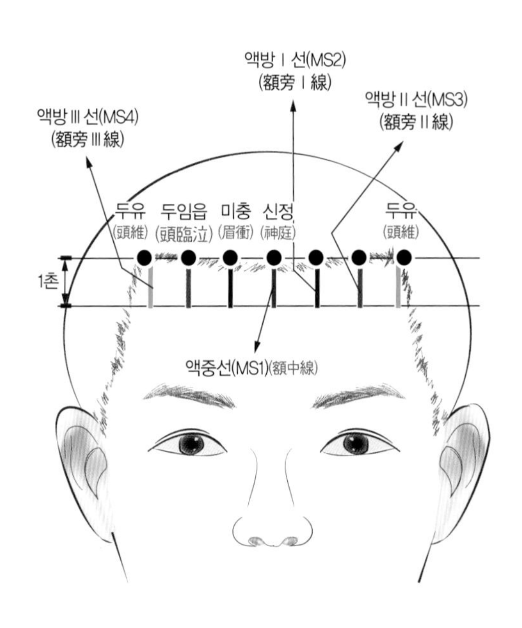

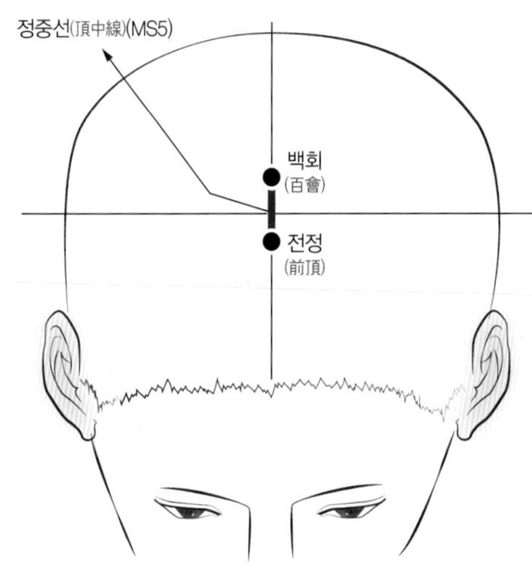

최근 정신질환이 급증하고 있다. 그래서 후생노동성은 종래의 악성종양, 뇌졸중, 급성심근경색, 당뇨병의 4질환에 정신질환을 추가하여 5질병 · 5사업 및 재택의료와 관련된 의료체제정비의 방침을 정했다. 정신의료에 대해서는, '입원의료중심에서 지역생활중심으로' 라는 이념과 함께 재택의료가 추진되고, 입원의료나 약물요법뿐 아니라, 인지행동요법이나 전기경련요법 등도 응용되고 있다. 두침요법도 정신의료와 제휴함으로써 뇌활성화, 진정, 진통 및 심신케어에 기여한다.

치료부위

①전두부에 있는 액중선(額中線)(MS1) · 액방 I 선(額旁 I 線)(MS2) · 액방 II 선(額旁 II 線)(MS3) · 액방 III 선(額旁 III 線)(MS4).

②두정부에 있는 정중선(頂中線)(MS5) 을 기본으로 하고 있다.

5-1 치매/통합실조증

1. 치매

한번 획득한 기능이 뇌 또는 전신질환으로 장애를 받게 되어, 기억, 소재식, 언어, 판단력, 문제해결능력 등의 인지기능이 저하되는 것이다. 기억장애를 필수로 하는 다채로운 인지장애(실어, 실행, 실인, 수행기능장애 등) 는 진단의 기본적 요건이 되고 있다.

1) 알츠하이머형 치매 :기억장애를 중심으로 하는 인지기능장애와 대뇌피질 전역에 미치는 신경세포 탈락, 다수의 노인반, 신경원섬유 변화를 특징으로 하는 병리변화가 나타난다. 치매의 약 반수는 65세이상의 고령자이다.
2) 뇌혈관성 치매 : 다발성경색이나 전두전영역 등의 기능장애로 일으키는 치매이다. 임상증상의 특징으로, 우울상태, 구음장애, 연하장애와, 종종걸음이나 움츠린 발 등의 파킨슨증(Parkinsonism)이 보인다. 기억장애는 알츠하이머병에 비하면 적다.
3) 알콜성 치매 : 알콜중독에 기인하는 치매이다. 광의의 알콜성 치매와 협의의 알콜성 치매로 분류한다. 임상증상의 특징으로서, 기억장애는 경도이지만, 고차뇌기능장애와 인격변화가 혼재하고 있다.

【치료목표】 치매의 예방, 조기증상의 개선, 심신케어

【처　　방】 1) 기억장애, 소재식장애 : 액중선(MS1), 액방 I 선(MS2), 액방 II 선(MS3), 액방 III 선(MS4)

2) 뇌활성화 : 정중선(MS5)

3) 언어장애 : 섭후선(MS11)

4) 침구처방 : 간유(肝兪), 심유(心兪), 신문(神門), 대종(大鐘), 인당(印堂), 전중(膻中)

2. 통합실조증

주로 청년기의, 특히 남자에게 발병한다. 만성적으로 경과하여 점차 인격의 황폐를 초래하는 정신질환이다. 급성기에 정신운동흥분이나 자살기도가 나타난다. 환각이나 망상을 주증상으로 하지만, 감정이나 의욕의 결핍도 나타난다. 전구기(前驅期)에는 억우울증, 사고력 · 기억력의 저하, 두통, 전신권태감, 이피로성, 불면, 과묵, 무관심 등의 다채로운 증상이 나타난다.

병인은 확정되어 있지 않다. 도파민가설이나 글루타민산가설, 또는 신경발달장애가설, 취약성 스트레스모델 등이 있는데, 유전요인이나 뇌이상에 환경인자가 추가되어 발병한다. 장기적 치료의 필요성을 잘 이해하고, 각오해야 한다.

【치료목표】 진정, 심신케어

【처　　방】 1) 진정 : 액중선(MS1), 액방 I 선(MS2), 액방 II 선(MS3), 액방 III 선(MS4)

2) 뇌활성화 : 정중선(MS5)

3) 감각조정 : 정섭후사선(MS7)

4) 침구처방 : 대릉(大陵), 신문(神門), 인중(人中), 노궁(勞宮), 대종(大鐘), 태충(太衝)

5-1 공황장애/강박성장애(강박신경증)

3. 공황장애

갑자기 일어나는 극심한 동계(動悸)나 발한, 빈맥, 떨림, 호흡곤란, 흉부의 불쾌감, 현기증이라는 신체의 이상과 함께, 죽음의 공포감, 심한 불안을 느끼는 병태이다.

1)전반성 불안장애 : 심한 불안 외에, 경계심, 근육의 과긴장, 자율신경기능항진증상이 나타난다. 정신증상은 다채로워서, 불안정하고, 집중하지 못하며, 기억력의 저하, 의욕상실, 초조와 화를 잘 내며, 불면증 등이 나타난다. 신체증상으로는, 피로감, 권태감, 두통, 두중감, 저림, 어깨결림, 떨림, 현기증, 오한이나 화끈거림, 머리로 피가 쏠림, 동계, 숨이 참, 목의 답답함, 구역질 등이 나타난다.

2)공황장애 : 급성 · 돌발성 불안증상을 특징으로 하며, 발작은 10분만에 피크에 이르고, 60분경에는 안정되는 급성질환이다. 전반성 불안장애는 불안증상이 만성적으로 지속되는 것이 특징이다.

【치료목표】 진정, 심신케어

【처 방】 1) 진정 : 액중선 (MS1), 액방 I 선 (MS2), 액방 II 선 (MS3), 액방 III 선 (MS4)

2) 뇌활성화 : 정중선 (MS5)

3) 침구처방 : 대릉(大陵), 신문(神門), 인중(人中), 노궁(勞宮), 대종(大鐘), 태충(太衝)

4. 강박성장애(강박신경증)

불안장애의 하나이다. 예를 들면, '손이 세균으로 오염되었다' 라는 강한 불안으로, 몇 시간이나 손을 계속 씻으며, 피부가 틀만큼 알콜소독을 반복하는 등, 확실히 '지나치다' 고 할 만한 행위를 강박적으로 한다. 강박성장애는 만성화되기 쉬우며, 섭식장애나 우울증 등도 나타난다.

치료는 선택적 세로토닌 재흡수저해제 (SSRI) 와 인지행동요법 (CBT) 이다. 환자나 가족 들에게 충분한 이해를 촉구하는 심리교육은 치료적 동기부여를 높인다. 주위에서 일관된 지지를 받는 것이 안정적 치료환경을 구축하는 데에 중요하다.

【치료목표】 진정, 심신케어

【처 방】 1) 진정 : 액중선 (MS1), 액방 I 선 (MS2), 액방 II 선 (MS3), 액방 III 선 (MS4)

2) 뇌활성화 : 정중선 (MS5)

3) 침구처방 : 대릉(大陵), 신문(神門), 인중(人中), 노궁(勞宮), 대종(大鐘), 태충(太衝)

5-1 외상 후 스트레스 장애/섭식장애

5. 외상 후 스트레스 장애

생명까지 위협이 되는 어느 외상적 사건에 갑자기 직면하여, 강한 공포나 무력을 심하게 느끼고, 공포기억이 깊이 마음에 새겨져서 지울 수 없는 병태이다. 공포기억, 악몽, 감정마비, 수면장애 및 과도한 경계심 등의 증상은 1개월이상 지속된다. 외상적 사건에서 1년이내에 자연 경감될 가능성이 비교적 높지만, 일정기간 경과해도 증상이 낫지 않는 경우, 전문요법이 필요하다.

치료는 인지행동요법과 노출요법이 행해지고 있다. 그 밖에 심리교육과 정신요법도 이용한다.

【치료목표】 진정, 심신케어

【처　　방】 1) 진정 : 액중선 (MS1), 액방 I 선 (MS2), 액방 II 선 (MS3), 액방 III 선 (MS4)

2) 뇌활성화 : 정중선 (MS5)

3) 침구처방 : 대릉(大陵), 신문(神門), 인중(人中), 노궁(勞宮), 대종(大鐘), 태충(太衝)

6. 섭식장애

신경성 식욕부진증과 신경성 대식증의 2가지로 크게 나눈다. 마르는 것에 대한 소원이나 체중 · 체형에 대한 집착, 비만공포를 특징으로 하는 병태이다. 사춘기, 청년기 여성에게 많다.

신경성 식욕부진증에서는 마르기를 원하는 경향이 심하여, 저체중이 되어도 비만하다고 생각하여 체중을 더욱 줄이려고 한다.

신경성 대식증은 과식증상을 특징으로 하며, 식사통제를 할 수 없다. 섭식장애는 억우울, 불안, 강박증상 등, 여러 가지 정신증상이 나타나며, 자해행위, 훔침, 약물남용 등의 문제행동을 수반하는 경우도 많다.

구체적 약물요법이 없이, 심리치료와 정신요법을 주로 하고 있다. 치료에는 장시간을 요하며, 끈기있게 치료를 계속하는 것이 중요하다.

【치료목표】 진정, 심신케어

【처　　방】 1) 진정 : 액중선 (MS1), 액방 I 선 (MS2), 액방 II 선 (MS3), 액방 III 선 (MS4)

2) 뇌활성화 : 정중선 (MS5)

3) 침구처방 : 심유(心兪), 간유(肝兪), 비유(脾兪), 내관(內關), 중완(中脘), 족삼리(足三里), 삼음교(三陰交), 태충(太衝)

7. 신체화장애 · 동통성장애 · 심기증

이 장애에서는 환자 자신이 자신의 신체질환에 이상할 정도로 과잉 공포를 느끼고 있다. 환자가 자각하고 있는 '이상' 은 임상검사의 데이터로 완전히 설명되지 않는다. 스트레스 때문에 신체증상을 과장해서 표현한다. 신체감각의 이상, 인지의 장애가 나타난다.

동통성 장애에서는 통각자극에 대한 뇌내 정보처리의 장애가 보고되고 있다.

임상진단은 어렵지만, 제외진단을 기본으로 한다. 환자의 주소가 다채로워서, 신체증상, 기분장애, 불안장애, 발달장애, 치매 등을 수반하고 있다.

치료는 정신요법과 심리요법이 기본이다. 필요에 따라서 항우울제나 한방이 처방된다. 장기 치료가 필요하다.

【치료목표】 진정, 진통, 심신케어

【처　　방】 1) 진정 : 정섭후사선 (MS7), 섭전선 (MS10), 섭후선 (MS11)
2) 뇌활성화 : 정중선(MS5)
3) 진정 : 액중선 (MS1), 정방 I 선 (MS8), 정방 II 선 (MS9)
4) 침구처방 : 내관(內關), 합곡(合谷), 태충(太衝), 삼음교(三陰交), 대추(大椎), 심유(心兪), 간유(肝兪)

8. 수면장애

수면장애는 불면증과 과민증으로 나눈다.

1)불면증 : 입면곤란, 중도각성, 조조각성, 숙면곤란으로 분류된다. 불면을 주증으로 하며, 초조감, 집중력 저하, 기운 없음, 권태감, 두통, 근육통, 위장상태가 나쁨 등의 증상을 수반하고 있다. 불면은 신체적 요인, 생리적 요인, 약리적 요인, 심리적 요인 및 정신질환에 따라서 일으키게 된다. 젊은 사람에게는 입면장애, 중년이후에서는 중도각성과 조조각성이 많다.

2)과면증(過眠症) : 야간의 불면장애가 없음에도 불구하고, 4주이상 낮에 과잉수면 · 졸음이 엄습하는 병태이다. 임상에서는 충분한 수면을 취했는데 낮에 심한 수면이 엄습하며, 불안, 잦은 화, 권태감, 집중력 저하 등의 신체증상과 정신증상을 수반한다.

【치료목표】 진정, 안면, 심신케어

【처　　방】 1) 진정 : 액중선 (MS1), 섭후선 (MS11)
2) 뇌활성화 : 정중선 (MS5)
3) 침구처방 : 신문(神門), 내관(內關), 삼음교(三陰交), 심유(心兪), 비유(脾兪), 신유(腎兪)

9. 심신증

과민성 장증후군, 긴장형 두통이나 편두통 등의 1차성두통, 기관지천식, 소화성궤양, 본태성 고혈압, 아토피성 피부염 등의 질환이 대표적이다. 신체질환이면서, 그 발병이나 경과에 심리사회적 인자의 관여가 깊다. 신경증이나 우울증 등, 다른 정신장애에 수반하는 신체증상과 감별 진단해야 한다.

치료는 신체증상을 완화할 뿐 아니라, 전인적 치료를 하는 것이 중요하다. 심리요법, 정신분석적 정신요법, 인지행동요법, 자율훈련법 등의 안정요법 외에 한방, 침구요법도 병용하고 있다.

【치료목표】 진정, 심신케어

【처　　방】 1) 진정 : 액중선 (MS1), 액방 I 선 (MS2), 액방 II 선 (MS3), 액방 III 선 (MS4)
2) 뇌활성화 : 정중선 (MS5)
3) 침구처방 : 심유(心兪), 간유(肝兪), 비유(脾兪), 내관(內關), 삼음교(三陰交), 태충(太衝)

10. 약물의존

알콜, 니코틴의존증 및 위법약물에 의한 급성중독을 별도로 하고, 정신작용이나 항불안작용, 최면작용, 근이완작용, 항경련작용이 있는 약물을 반복 사용함으로써, 그 약물에 의존하다가, 효과가 떨어지면 또 하고 싶은 강한 욕구 (갈망) 를 통제하지 못하여, 연속적, 강박적으로 사용하는 상태이다.

약물의존으로 신체장애나 정신장애, 사회적 문제를 일으키면서도, 그 약물을 사용하려는 갈망이 끊이지 않는다.

치료는 그 약물의 감량 · 중지와, 퇴약증후에 대한 대처가 중심이 된다.

【치료목표】 진정, 심신케어

【처　　방】 1) 진정 : 액중선 (MS1), 액방 I 선 (MS2), 액방 II 선 (MS3), 액방 III 선 (MS4)
2) 뇌활성화 : 정중선 (MS5)
3) 감각조정 : 정섭후사선 (MS7)
4) 침구처방 : 심유(心兪), 간유(肝兪), 비유(脾兪), 신유(腎兪), 내관(內關), 신문(神門), 관원(關元), 삼음교(三陰交), 태충(太衝)

5-1 알콜의존증 · 니코틴의존증/심장신경증

11. 알콜의존증 · 니코틴의존증

1)알콜의존증 : 진단에는 다음의 6항목 중 3항목 이상이 필요하다.

①강렬한 음주욕구. ②절주의 억제상실. ③이탈증후군의 출현. ④내성의 증대. ⑤알콜이 생활에 미치는 영향. ⑥정신적 신체적인 악화에도 음주를 끊지 못한다.

알콜의 이탈증후군에는, 약 24시간이내에 나타나는 손가락진전, 발한 등의 자율신경증상을 중심으로 하는 조기증상군과, 약 48~96시간에 나타나는 섬망, 환시, 정신운동흥분을 특징으로 하는 후기증후군이 있다.

2)니코틴의존증 : '니코틴의존' 과 '니코틴이탈' 의 2가지로 나눈다.

니코틴의존은 니코틴에 대한 심리적 의존을 주로 하며, 금연이나 절연 등을 의도해도 불가능한 상태이다. 니코틴의존의 진단에는 1개월의 지속이나 과거 12개월에 반복되는 다음 3항목이상이 필요하다.

①흡연에 대한 강한 욕망 또는 절박감. ②흡연행위의 억제상실. ③절연이나 금연에 수반하는 이탈증상이 있다. ④내성. ⑤담배 이외의 일에 대한 의욕의 저하, 흡연에 대한 집착. ⑥흡연의 유해성을 알면서 기연(嗜煙)을 계속한다.

증상은 니코틴의 혈중농도의 저하나 소실에 수반하여 일어나고 있다. 대표증후로서, 불쾌 또는 억울증, 불면, 이노성(易怒性) · 욕구불만 · 분노, 불안, 집중곤란, 초조감, 심박수의 감소, 식욕증가 · 체중증가 등을 들 수 있다.

【치료목표】 진정, 이탈증상의 경감, 심신케어

【처　　방】 1) 진정 : 액중선 (MS1), 액방Ⅰ선 (MS2), 액방Ⅱ선 (MS3), 액방Ⅲ선 (MS4)
2) 뇌활성화 : 정중선 (MS5)
3) 감각조정 : 정섭후사선 (MS7)
4) 운동조정 : 정섭전사선 (MS6)
5) 침구처방 : 심유(心兪), 간유(肝兪), 비유(脾兪), 신유(腎兪), 내관(內關), 신문(神門), 관원(關元), 삼음교(三陰交), 태충(太衝)

12. 심장신경증

심장신경증은 심장에 기질적 질환이 없음에도 불구하고, 흉통, 동계, 숨이 참, 발한, 현기증, 냉한, 불면, 두통, 전신권태감 등을 주소로 하는 증후군이다.

임상에서는 감별진단이 중요하다. 세심한 검사로 기질적 심질환을 제외한다. 문진으로 그 발작의 유인을 밝힌다. 스트레스, 불안, 억울증상이 심한 경우는 심료내과, 정신과질환과의 감별진단이 필요하다.

【치료목표】 진정, 심신케어

【처　　방】 1) 진정 : 액중선 (MS1), 액방Ⅰ선 (MS2), 액방Ⅱ선 (MS3), 액방Ⅲ선 (MS4)
2) 뇌활성화 : 정중선 (MS5)
3) 침구처방 : 심유(心兪), 간유(肝兪), 내관(內關), 신문(神門), 관원(關元), 삼음교(三陰交), 태충(太衝)

5-1 성기능장애(발기장애)/틱장애

13. 성기능장애(발기장애)

발기장애 (ED) 는 심인성, 기질성 및 혼합성으로 나뉜다. 만족한 성행위를 하는 데에 충분한 발기를 할 수 없거나, 지속할 수 없는 상태가 3개월이상 계속되는 상태이다. 가령, 흡연, 고혈압, 당뇨병, 비만, 운동부족, 우울상태, 하부요로증상이나 전립선비대증, 만성신장병, 수면시무호흡, 신경질환, 강압제나 항정신병제 등이 나타나고 있다.

심인성 발기장애는 정신적 요인이나 파트너와의 관계에서 생기는 것이지만, 기질성 발기장애는 혈관성, 내분비성, 신경성, 음경성 등을 들 수 있다.

비아그라 등의 약물은 발기장애 치료제로 화제를 모으고 있지만, 간 · 신기능저하증례나 고령자에게는 주의를 요한다. 초산약(硝酸藥)과의 병용은 금기이다.

【치료목표】 진정, 성기능조정, 심신케어

【처　　방】 1) 진정 : 액중선 (MS1)

2) 뇌활성화 : 정중선 (MS5)

3) 성기능조정 : 액방Ⅲ선 (MS4)

4) 침구처방 : 심유(心兪), 신유(腎兪), 내관(內關), 관원(關元), 곡골(曲骨), 삼음교(三陰交), 팔요(八髎)

14. 틱장애

돌발적으로, 리듬 없이, 급속한 운동을 반복하는 병태이다. 틱장애는 운동성 틱장애와 음성 틱장애의 2가지로 나뉜다. 일과성 틱장애는 4주이상~12개월이내, 만성 틱장애는 1년이상 간헐적으로 지속된다. 간헐기는 3개월이내가 된다. 역학에서는 4세~11세경에 증상이 나타나기 시작하는 경우가 많으며, 6세~7세에 피크가 된다. 남아에게 많다.

치료방침은 심리학적, 및 생활에 관한 교육 · 지도를 기본으로 한다. 환아에게 안도감을 주고, 과도한 간섭이나 질책을 금한다. 필요에 따라서 항도파민, 항정신성 약물을 처방한다.

【치료목표】 진정, 심신케어

【처　　방】 1) 진정 : 액중선 (MS1)

2) 뇌활성화 : 정중선 (MS5)

3) 운동조정 : 정섭전사선 (MS6), 정방Ⅰ선 (MS8), 정방Ⅱ선 (MS9)

4) 평형조정 : 침하방선 (MS14), 섭후선 (MS11)

5) 침구처방 : 내관(內關), 합곡(合谷), 수삼리(手三里) 곡지(曲池), 양릉천(陽陵泉), 족삼리(足三里), 태충(太衝)

5-1 간질

15. 간질

여러 가지 원인에 따라서 초래되는 만성뇌질환의 하나이다. 대뇌 뉴런의 과잉 발사에 의한 반복성 발작 (간질발작) 을 특징으로 한다. 뇌의 기질성 병변의 유무에 따라서, 증후성 간질과 특발성 간질로 분류된다. 증후성 간질은 출산시의 뇌장애, 저산소, 뇌염, 수막염, 뇌출혈, 뇌경색, 뇌외상 등에 기인한다. 특발성 간질은 간질에서 특징적 뇌파가 확인되어, 여러 가지 검사를 해도 이상이 발견되지 않는 원인불명의 간질이다.

간질은 반복해서 일어나는 것이 특징이며, 장기간에 걸친 약물치료가 필요하다.

【치료목표】 진정, 경련의 경감, 심신케어

【처　　방】 1) 진정 : 액중선 (MS1), 액방 I 선 (MS2)

2) 뇌활성화 : 정중선 (MS5)

3) 평형조정 : 침하방선 (MS14)

4) 침구처방 : 대추(大椎), 인중(人中), 합곡(合谷), 곡지(曲池), 양릉천(陽陵泉), 족삼리(足三里), 삼음교(三陰交), 태충(太衝)

5-2 신경 · 근질환의 두침요법

일과성 뇌허혈발작, 뇌졸중 및 파킨슨병 등 신경 · 근질환의 두침요법은 정신질환의 치료와 공통점을 가지는 경우가 많다. 급성기에 적응하는 것보다 구급치료 후에 통합의료의 하나로서, 뇌 활성화, 운동기능의 개선, 진정, 진통 및 심신케어에 기여하고 있다.

● 치료부위

①전두부에 있는 액중선(額中線)(MS1) · 액방 Ⅰ 선(額旁Ⅰ線)(MS2) · 액방 Ⅱ 선(額旁Ⅱ線)(MS3) · 액방 Ⅲ 선(額旁Ⅲ線)(MS4), ②두정부에 있는 정중선(頂中線)(MS5), ③측두부에 있는 정섭전사선(頂顳前斜線)(MS6) · 정섭후사선(頂顳後斜線)(MS7) · 섭전선(顳前線)(MS10) · 섭후선(顳後線)(MS11), ④두정부에 있는 정방 Ⅰ 선(頂旁Ⅰ線)(MS8) · 정방 Ⅱ 선(頂旁Ⅱ線)(MS9) 을 기본으로 하고 있다.

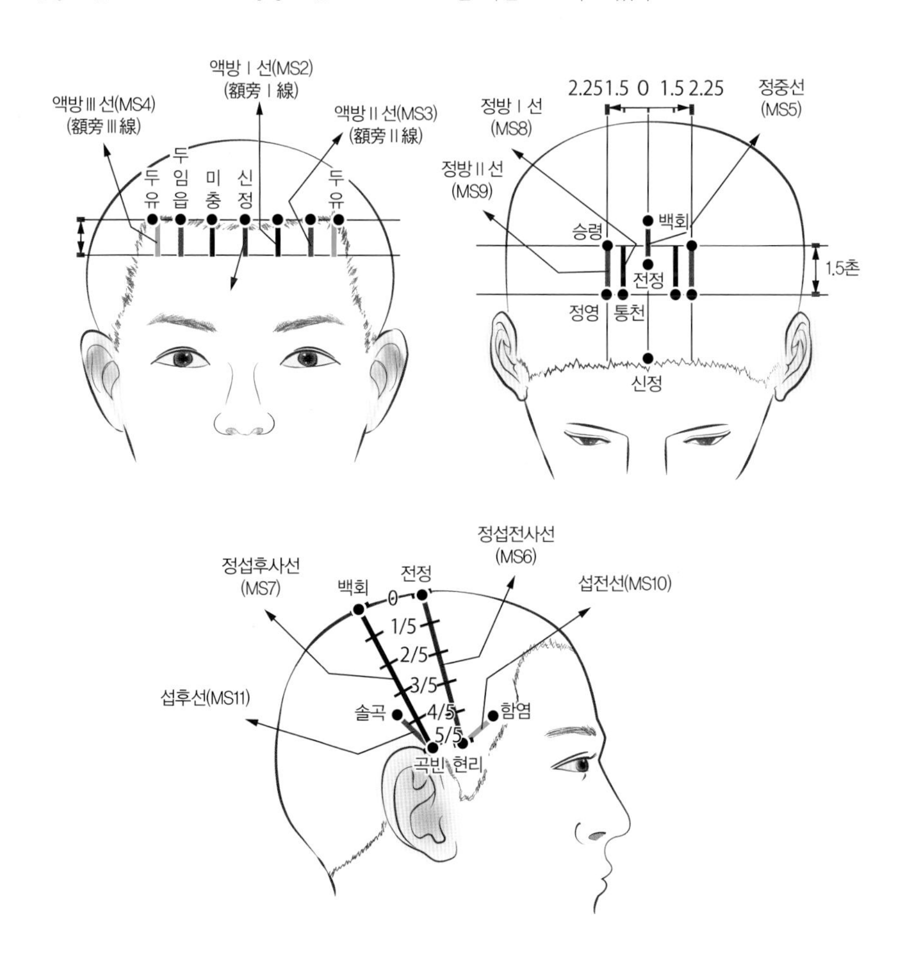

5-2 일과성 뇌허혈발작 (TIA)/뇌졸중

1. 일과성 뇌허혈발작(TIA)

경동맥이나 대동맥의 아테롬성경화에 기인하는 비심원성 TIA와 심장내 혈전이나 정맥계 혈전도 색전증의 유래로 보는 심원성 TIA로 분류한다. 뇌의 국소적 혈관관류장애로 인해서 신경증상이 나타나며, 24시간이내에 완화된다. 발병 후, 48시간내에 뇌경색이 속발할 위험이 높아서, 구급대응이 제1선택이 된다.

고혈압, 당뇨병, 지질이상 등, 생활습관병의 예방과 개선을 위해서, 식사요법, 운동요법, 금연, 적당량의 음주, 적절한 체중유지와 운동이 권장된다.

【치료목표】 감각 · 운동기능의 개선, 뇌기능의 회복

【처　　방】 1) 운동조정 : 장애반대측의 정섭전사선(MS6), 정방 I 선(MS8), 정방 II 선(MS9)

2) 감각조정 : 장애반대측의 정섭후사선 (MS7)

3) 뇌활성화 : 정중선 (MS5)

4) 언어장애 : 섭전선(MS10) · 섭후선 (MS11)

5) 침구처방 : 풍지(風池) 합곡(合谷), 곡지(曲池), 견우(肩髃), 환도(環跳), 양릉천(陽陵泉), 족삼리(足三里), 삼음교(三陰交)

2. 뇌졸중

뇌졸중은 뇌경색, 또는 뇌출혈, 지주막하출혈 등의 두개내출혈로 뇌혈관이 장애를 받아서, 정신 · 신경증상을 나타내는 병태이다. 현재는 암, 심장질환에 이어서 사망원인의 제3위이며, 자리를 보전하고 누운 환자의 원인질환으로는 제1위가 되고 있다. 뇌졸중이 의심스러운 환자에게는 기도확보, 호흡관리, 순환유지 등의 응급처치가 급선무로 되어 있다.

뇌졸중의 증상은 다채롭지만, 돌발하는 두통발작, 특히 과거에 경험이 없을수록 격통인 경우는 지주막하출혈 (뇌동맥류 파열 등에 의한다) 일 가능성이 높다. 지주막하출혈을 제거하는 뇌졸중은 반신의 소력이나 감각이상 등, 장애부위와는 반대측 신체의 반의 장애로 나타난다. 뇌혈관의 장애부위에 따라서, 편마비 (한쪽안면 · 상하지의 마비), 언어장애 (구음장애, 실어), 보행장애 등이 초기증상이 되는 빈도가 높다. 뇌경색에서는 의식장애도 1/4정도로 합병되지만, 고도의 의식장애는 적다.

뇌졸중은 응급병원에서 초기진단과 치료를 하고, 2~3주 경과하여, 증상이 안정되면 재활치료로 회복치료나 자리를 보전하고 누운 것에 대한 간호 등을 한다. 새로운 치료적 개입으로 반복 경두개자기자극 (rTMS), 경두개직류전기자극 (tDCS) 이 주목받고 있다. 두침요법은 rTMS와 tDCS에 공통점이 많아서, 적극적으로 하고자 한다.

【치료목표】 감각 · 운동기능의 개선, 뇌기능의 회복

【처　　방】 1) 운동조정 : 장애반대측의 정섭전사선(MS6), 정방 I 선(MS8), 정방 II 선(MS9)

2) 감각조정 : 장애반대측의 정섭후사선 (MS7)

3) 뇌활성화 : 정중선 (MS5)

4) 언어장애 : 섭전선(MS10) · 섭후선 (MS11)

5) 침구처방 : 풍지(風池) 합곡(合谷), 곡지(曲池), 견우(肩髃), 환도(環跳), 양릉천(陽陵泉), 족삼리(足三里), 삼음교(三陰交)

3. 두부외상후유증

두부외상후유증은 수상 3주후에 발병하거나 잔존하는 병태이다. 두부외상후유증의 병태생리로서, 뇌기능국재에 보이는 신경증상은 CT 등의 뇌영상검사나 뇌파검사 등의 소견에 일치한다. 피질척수로 (추체로) 나 척수시상로 (지각로) 가 손상되면 편마비나 지각장애, 우위반구의 전두엽이나 측두엽의 손상이면 실어증, 두개저골절에서는 후각탈실이나 안면신경마비, 청력장애 등이 나타난다.

비교적 경도인 경우, CT나 뇌파검사에서는 유의한 소견이 확인되지 않아도, 두통, 불면, 집중력장애, 정신장애, 자율신경장애, 권태감, 성기능저하 등의 다양한 증상이 확인된다.

【치료목표】 감각 · 운동기능의 개선, 뇌기능의 회복

【처　　방】 1) 운동조정 : 장애반대측의 정섭전사선(MS6), 정방 I 선(MS8), 정방 II 선(MS9)

2) 감각조정 : 장애반대측의 정섭후사선 (MS7)

3) 뇌활성화 : 정중선 (MS5)

4) 언어장애 : 섭전선(MS10) · 섭후선 (MS11)

5) 침구처방 : 풍지(風池) 합곡(合谷), 곡지(曲池), 견우(肩髃), 환도(環跳), 양릉천(陽陵泉), 족삼리(足三里), 삼음교(三陰交)

4. 헌팅턴병

만성진행성이며, 성격변화, 억울, 충동성장애, 치매 등의 정신증상과 무도병(舞蹈病) 같은 운동을 특징으로 하는 병태이다. 상염색체 우성유전성 신경변성질환이며, 특히 대뇌피질과 선조체(線條体)의 위축이 현저하다. 선조체 (특히 미상핵) 의 소형 유극신경세포의 변성탈락이 무도병 같은 불수의운동의 원인이 된다. 30~50대에는 정신증상과 무도병 같은 운동이 확인되지만, 20대미만에는 파킨슨증(pakinsonism)을 나타내는 경우가 많다.

진단은 유전자진단으로 확정하지만, 근치요법은 없다. 정신증상과 무도병 같은 증상에 대한 대증요법을 한다.

【치료목표】 운동기능의 개선, 뇌기능의 조정, 평형기능의 개선

【처　　방】 1) 뇌활성화 : 정중선 (MS5)

2) 운동조정 : 정섭전사선(MS6), 정방 I 선(MS8), 정방 II 선(MS9)

3) 평형조정 : 침하방선 (MS14)

4) 침구처방 : 대추(大椎), 합곡(合谷), 곡지(曲池), 견우(肩髃), 환도(環跳), 양릉천(陽陵泉), 족삼리(足三里), 삼음교(三陰交)

5-2 파킨슨병/자율신경장애

5. 파킨슨병

안정시 진전(振戰), 무동(無動) · 과동(寡動), 근육경직, 자세유지장애의 4대증상을 특징으로 한다. 운동증상 이외에도 변비나 빈뇨 등 자율신경증상, 불면 등 수면장애, 우울증상 등 의 정신증상, 인지기능장애 등의 비운동증상을 수반하고 있다. 중뇌흑질의 도파민생산신경세포의 탈락을 기반으로 한다. 전형적 파킨슨병은 몸을 둥글게 만 채 진전, 가면 같은 안모, 목소리는 작고, 동작은 느려진다. 자세는 앞으로 구부정하며, 무릎은 구부리고, 보행은 종종걸음으로 전방돌진증상을 나타낸다.

중증도 평가로, Ⅰ도는 증상이 편측성, Ⅱ도는 양측성, Ⅲ도는 자세반사장애를 나타내며, Ⅳ도는 보조 없이 어떻게든 보행가능, 일상동작은 부분보조, Ⅴ도는 일상동작에서 전면보조를 필요로 하며, 휠체어 또는 자리를 보전하고 누운 상태가 된다.

L-도파 보충요법이 치료의 기본이 되지만, 비운동증상의 치료가 적극적으로 행해진다. 전기생리학적 치료, 지지요법, 한방요법은 약물요법과 병행하여, 보완요법을 한다.

【치료목표】 뇌기능의 조정, 평형기능의 개선, 운동기능의 개선

【처　　방】 1) 뇌활성화 : 정중선 (MS5)
2) 운동조정 : 정섭전사선(MS6), 정방Ⅰ선(MS8), 정방Ⅱ선(MS9)
3) 평형조정 : 침하방선 (MS14)
4) 침구처방 : 대추(大椎), 합곡(合谷), 곡지(曲池), 환도(環跳), 양릉천(陽陵泉), 족삼리(足三里), 태충(太衝), 간유(肝兪), 비유(脾兪), 신유(腎兪)

6. 자율신경장애

뇌자율신경계는 신체의 내부환경을 유지하고 생체의 항상성을 유지하는 데에 중요한 역할을 한다. 생체의 불수의한 기능, 예를 들어 호흡, 순환, 소화, 대사, 체온조절, 배설, 생식 등의 제어에 관여하고 있다. 자율신경이 실조(失調)하면, 다채로운 증상이 나타난다. ①순환기증상 : 기립성 저혈압, 부정맥. ②비뇨기증상 : 요폐, 요실금, 위축. ③소화기증상 : 변비, 설사. ④발한장애. ⑤성기능장애, 등을 들 수 있다.

중추신경질환에 의한 자율신경장애는 다계통위축증 (샤이 · 드레거증후군, 올리브교소뇌 위축증, 선조체흑질변성증), 파킨슨병, 레비소체병, 뇌혈관장애후유증 등이 대표적이다.

말초신경질환에 의한 자율신경장애에는 당뇨병성 신경병증, 가족성 아밀로이드 신경병증, 길랑 바레 증후군 (Guillain-Barre syndrom), 자율신경병증 등을 들 수 있다. 그 밖에는 약제에 의한 2차성 자율신경장애도 있다.

기초질환의 치료가 우선이지만, 기립성 저혈압이나 비뇨장애 등의 자율신경장애가 심한 경우에는 대증요법이 필요하다.

【치료목표】 뇌기능의 조정, 자율신경조정

【처　　방】 1) 뇌활성화 : 정중선 (MS5)
2) 진정 : 액중선 (MS1), 액방Ⅰ선 (MS2), 액방Ⅱ선 (MS3), 액방Ⅲ선 (MS4)
3) 침구처방 : 내관(內關), 신문(神門), 태충(太衝), 삼음교(三陰交), 심유(心兪), 간유(肝兪), 비유(脾兪), 신유(腎兪)

5-2 경성대마비/근위축성 측삭경화증

7. 경성대마비

상위운동뉴런의 장애에 의한 양 하지의 경성마비를 특징으로 하며, 건반사항진, Babinski징후 등의 병적 반사양성, 내반첨족, 경성보행 (가위보행)을 나타낸다. 또 방광직장장애, 감각장애, 자율신경장애를 수반하는 병태이다. 경성대마비는 증후명으로, 그 원인질환을 밝히는 것이 중요하다.

외과적 치료, 내과적 치료 (항염증요법 · 근이완제), 보툴리누스독소치료, 바클로펜 수주요법을 함과 동시에, 재활치료를 계속하는 것이 필수이다. 보행훈련 등의 운동요법, 온열요법, 전기자극요법, 광선요법 등의 물리요법도 병용한다.

【치료목표】 뇌기능의 조정, 운동기능의 개선

【처　　방】 1) 뇌활성화 : 정중선 (MS5)

2) 운동조정 : 정섭전사선(MS6), 정방 I 선(MS8), 정방 II 선(MS9)

3) 침구처방 : 대추(大椎), 합곡(合谷), 곡지(曲池), 환도(環跳), 양릉천(陽陵泉), 족삼리(足三里), 태충(太衝)

8. 근위축성 측삭경화증

원인불명, 난치성 특정질환, 중년 이후에 발병하여, 운동뉴런이 진행성으로 변성되어, 상지기능, 보행, 구음, 연하 및 호흡 등이 장애를 받는다.

상위운동뉴런증후 : 경축, 건반사항진, 손가락 치밀운동장애, 병적반사를 보인다.

하위운동뉴런징후 : 근위축, 근이완, 섬유속성 수축을 보인다.

근치요법은 없다. 대증요법으로 완화케어를 하고, 환자의 QOL개선유지에 힘쓴다. 임상적으로 인공호흡기를 사용하면 2~5년에 사망하는 증례가 적지 않다. 인지장애를 수반하는 증례도 있다. 두침요법은 완화케어에 이용되며, 효과는 한정적이다.

【치료목표】 감각 · 운동기능의 개선, 뇌기능의 회복

【처　　방】 1) 뇌활성화 : 정중선 (MS5)

2) 운동조정 : 장애반대측의 정섭전사선(MS6), 정방 I 선(MS8), 정방 II 선(MS9)

3) 언어장애 : 섭전선(MS10) · 섭후선 (MS11)

4) 침구처방 : 대추(大椎), 합곡(合谷), 곡지(曲池), 견우(肩髃), 환도(環跳), 양릉천(陽陵泉), 족삼리(足三里), 삼음교(三陰交)

5-2 아테토시스 · 디스토니 · 편측 발리즘/미오클로누스

9. 아테토시스 · 디스토니 · 편측 발리즘

1)아테토시스 : 사지원위부 우위의 느린 지속성의, 신체를 비트는 듯한 운동을 특징으로 하는 병태이다. 뇌성마비에 기인하는 경우가 많은데, 윌슨병, 뇌염후유증, 중독 (일산화탄소, 망간 등), 항정신병제, 리튬, 파킨슨병치료제 등의 약제에 의한 것도 있다.

2)디스토니 : 디스토니아라고도 한다. 근긴장의 이상징후를 나타내는 병태이다. 근긴장의 이상은 전신성, 분절성 (경성사경(痙性斜頸), 수전증(書痙) 등), 국소성 (안검경련) 으로 나뉜다.

3)편측 발리즘 : 일측성으로 체간에 가까운 부위에서 심하게 일어나며, 상하지 전체를 아무렇게나 팽개치는 듯한 불수의운동의 병태이다. 불수의운동은 급속하고 거칠며, 지속적으로 나타나는 것이 특징이다. 시상하핵의 뇌경색이나 뇌출혈 등의 혈관장애, 무산소뇌증, 항간질제나 파킨슨병치료제에 기인한다.

이 3가지 징후는 대뇌기저핵의 기능이상에 기인하는 불수의운동의 이상을 공통적으로 가지고 있다. 두침요법의 효과는 한정적이다.

【치료목표】 운동기능의 개선, 뇌기능의 조정, 평형기능의 개선

【처　　방】 1) 뇌활성화 : 정중선 (MS5)

2) 운동조정 : 장애반대측의 정섭전사선(MS6), 정방 I 선(MS8), 정방 II 선(MS9)

3) 평형조정 : 침하방선 (MS14)

4) 침구처방 : 대추(大椎), 합곡(合谷), 곡지(曲池), 견우(肩髃), 환도(環跳), 양릉천(陽陵泉), 족삼리(足三里), 삼음교(三陰交)

10. 미오클로누스

돌발적으로 공동근군이나 길항근군에 근수축을 일으키는 불수의운동을 나타낸다. 미오클로누스는 대뇌피질, 피질하, 척수에 특정한 병소가 있으며, 임상상의 특징은 반사성, 동작시, 자발성, 율동성 불수의운동이다.

과거병력으로, 간질성 미오클로누스, 아급성 경화성전뇌염, 안구클로누스 · 미오클로누스증후군, 미토콘드리아뇌근증, 중금속, CO중독 등의 중독질환, 요독증성 뇌증, 투석뇌증 등을 들 수 있다.

치료는 원인질환의 치료와 대증요법이다. 약물요법 이외에 심리요법 등의 보완요법을 병행한다. 두침요법은 완와케어의 일조가 되고 있다.

【치료목표】 운동기능의 개선, 뇌기능의 조정, 평형기능의 개선

【처　　방】 1) 뇌활성화 : 정중선 (MS5)

2) 운동조정 : 정섭전사선(MS6), 정방 I 선(MS8), 정방 II 선(MS9)

3) 평형조정 : 침하방선 (MS14)

4) 침구처방 : 대추(大椎), 합곡(合谷), 곡지(曲池), 견우(肩髃), 환도(環跳), 양릉천(陽陵泉), 족삼리(足三里), 삼음교(三陰交)

5-2 메즈증후군/다발성 신경병증

11. 메즈증후군

만성으로 진행되며, 안검경련과 입, 하악의 불수의운동을 특징으로 하는 병태이지만, 안검경련만으로도 메즈증후군으로 분류된다.

하안검부의 실룩거림에서 시작되어, 점차 상안검부로 진행된다. 입을 오므리고, 구각의 후퇴, 혀의 돌출, 안면하부, 얼굴, 목의 불수의운동은 안검경련으로 연동하는 것이 특징이지만, 취침시에는 증상이 소실된다. 중증례에서는 눈을 뜨기가 어렵다. 40~70대 중고령자에게 발병률이 높으며, 남녀비는 1 : 2~3으로 여성에게 흔히 볼 수 있다. 발병원인은 불분명하지만, 가계내에서 발생하는 경향이 있다. 안구건조증이나 각막질환 등으로 인한 지나친 눈 깜빡거림, 안검하수, 편측 안면경련, 안검미오키미아, 틱 등과 감별 진단해야 한다. 병태생리로서 대뇌기저핵 및 뇌간의 기능이상이 관여하는 것은 아닐까 고려되고 있다.

【치료목표】 운동기능의 개선, 뇌기능의 조정, 평형기능의 개선

【처　　방】 1) 뇌활성화 : 정중선 (MS5)

2) 안부, 안면증상 : 침상정중선 (MS12), 침상방선 (MS13), 침하방선 (MS14), 정섭전사선(MS6)의 4/5~5/5

3) 진정 : 액중선 (MS1)

4) 침구처방 : 양백(陽白), 어요(魚腰), 사백(四白), 협거(頰車), 합곡(合谷), 내관(內關), 족삼리(足三里), 삼음교(三陰交), 태충(太衝), 심유(心兪), 간유(肝兪)

12. 다발성 신경병증

말초신경장애를 가리키며, 단발 신경병증, 다발성 단발 신경병증, 다발 신경장애로 분류한다.

1)단발 신경병증 : 단일신경이 지배하는 영역에서 볼 수 있는 압박성 신경병증.

2)다발성 단발 신경병증 : 2가지 이상의 신경이 지배하는 영역에서의 혈관염이나, 당뇨병에 수반하는 신경병증.

3)다발성 신경병증 : 좌우대칭성으로 사지의 원위부 우위, 특히 하지에 더 심하게 장애를 초래하고, 양말장갑형 신경병증을 특징으로 한다.

원인질환은 다채롭다. 염증성 · 자기면역성, 영양장애성, 대사성, 중독성 및 유전성 등을 들 수 있다. 특정한 원인질환을 밝히는 것이 중요하다. 약물요법 이외에 이학요법 등으로 근력증강, 기립 및 보행훈련, 작업훈련, ADL훈련을 한다.

【치료목표】 감각이나 운동기능의 개선, 뇌기능의 조정, 평형기능의 개선

【처　　방】 1) 뇌활성화 : 정중선 (MS5)

2) 운동조정 : 정섭전사선(MS6), 정방 I 선(MS8), 정방 II 선(MS9)

3) 감각조정 : 정섭후사선 (MS7)

4) 침구처방 : 대추(大椎), 내관(內關), 합곡(合谷), 곡지(曲池), 환도(環跳), 양릉천(陽陵泉), 족삼리(足三里), 삼음교(三陰交), 태충(太衝)

13. 길랑 바레 증후군(Guillain-Barre syndrom)

급성으로 사지의 근력저하, 건반사의 소실이라는 운동마비를 주징으로 한다. 대부분의 증례는 발병의 1~2주전에 호흡기계나 소화기계 감염증상이 선행한다. 임상검사에서는 말초의 신경전도에 이상소견, 항당지질항체양성, 뇌척수액의 단백세포괴리가 검출된다.

급성기에는 자기면역을 통제하기 위해서 면역글로불린 대량 정주요법이나 혈액정화요법을 한다. 조기부터 장기와상에 수반하는 관절구축 · 폐용성 근위축 · 욕창 · 심부정맥혈전증이나 폐색전증 등의 예방을 위해서 재활치료를 한다. 두침요법은 그것의 일조가 된다.

【치료목표】 운동기능의 개선, 뇌기능의 조정

【처　　방】 1) 뇌활성화 : 정중선 (MS5)

2) 운동조정 : 정섭전사선 (MS6), 정방 I 선 (MS8), 정방 II 선 (MS9)

3) 침구처방 : 대추(大椎), 합곡(合谷), 곡지(曲池), 견우(肩髃), 환도(環跳), 양릉천(陽陵泉), 족삼리(足三里), 삼음교(三陰交)

14. 특발성 안면신경마비(벨마비)

발병 원인을 특정할 수 없지만, 일측성이 많으며 전액부를 포함한 안면의 반 정도의 운동마비를 특징으로 한다. 대표적 증상으로 '토끼눈', '속눈썹징후', '청각과민', '입의 형태는 비대칭성이 된다' 및 마비측 혀의 앞 2/3에서 미각저하가 나타난다. 증상이 발병 직후부터 며칠 만에 급속히 진행된다.

급성기에는 부신피질스테로이드와 항바이러스제가 처방된다. 만성기에는 비타민제의 투입과 재활치료를 한다. 중증인 경우, 외과적 치료가 행해진다.

예후는 치유율이 높지만 회복까지 짧아야 1개월, 평균 2개월정도 걸린다.

【치료목표】 뇌기능의 조정, 마비의 회복

【처　　방】 1) 뇌활성화 : 정중선 (MS5)

2) 마비의 회복 : 정섭전사선 (MS6) 의 아래 3/5~5/5, 섭전선 (MS10)

3) 침구처방 : 사백(四白), 영향(迎香), 하관(下關) 지창(地倉), 협거(頰車), 합곡(合谷), 풍지(風池), 예풍(翳風)

5-2 주기성 사지마비/중증 근무력증

15. 주기성 사지마비

10대에 흔히 발병하며, 발작성으로 사지근의 이완성 마비를 특징으로 한다. 가족성으로, 상염색체 우성의 유전질환이 많으며, 발병에는 몇 시간~며칠, 하지에서 시작하여, 상지, 체간에 미치며, 심부건반사는 감약 내지 소실된다. 호흡근, 안면근 등은 장애를 받지 않는다. 야간, 조조, 휴식 후 또는 단것을 과식한 후에 생기기 쉽다.

저칼륨혈성 주기성 사지마비와 고칼륨혈성 주기성 사지마비로 분류한다. 치료는 병태에 따라서, 혈중 칼륨을 조절한다.

급격히 이완성 사지마비가 있어도 호흡근마비까지는 이르지 않으므로, 그 의미에서는 예후가 양호한 질환이라고 할 수 있다. 악화인자로 과식, 음주, 과로, 냉한노출, 정신적 스트레스, 극심한 운동 등을 들 수 있다. 비발작시에 식사요법, 약물요법에 힘쓰며, 악화인자는 삼가야 한다.

【치료목표】 운동기능의 개선, 뇌기능의 조정
【처　　방】 1) 뇌활성화 : 정중선 (MS5)
2) 운동조정 : 정섭전사선 (MS6), 정방 I 선 (MS8), 정방 II 선 (MS9)
3) 침구처방 : 대추(大椎), 합곡(合谷), 곡지(曲池), 견우(肩髃), 환도(環跳), 양릉천(陽陵泉), 족삼리(足三里), 삼음교(三陰交)

16. 중증 근무력증

자기면역질환이다. 자기항체에 의해서 신경근 접합부의 기능이 저하되어 발병하며, 운동의 반복에 수반하여 골격근의 근력이 저하(이피로성) 된다. 저녁무렵에 증상이 악화되는(일내변동) 것을 특징으로 하는 병태이다.

1)안근형 : 안검하수나 복시가 많으며 증상이 안근에 국한된다.

2)전신형 : 사지, 체간의 이피로성, 근력저하나 연하장애, 구음장애, 호흡장애.

악화요인에 감염, 피로, 스트레스 등이 있으므로, 그 예방에 유의한다.

【치료목표】 운동기능의 개선, 뇌기능의 조정
【처　　방】 1) 뇌활성화 : 정중선 (MS5)
2) 운동조정 : 정섭전사선 (MS6), 정방 I 선 (MS8), 정방 II 선 (MS9)
3) 침구처방 : 양백(陽白), 어요(魚腰), 사백(四白), 합곡(合谷), 곡지(曲池), 견우(肩髃), 환도(環跳), 양릉천(陽陵泉), 족삼리(足三里), 삼음교(三陰交)

5-2 시상통(중추성 동통)/두통

17. 시상통(중추성 동통)

시상은 체성감각로를 전달하는 중추의 중계점이며, 장애를 받으면 반대측 안면을 포함하는 반신에 중추성 동통을 일으킨다. 이것을 시상통(視床痛)이라고 한다. 지속성, 자발적인 마비감이나 견디기 힘든 작열통(灼熱痛)을 나타내고, 미세한 자극에도 격통을 느끼며, 발작성 전격통(電擊痛)이 나타난다. 시상(視床)의 장애부위에 따라서, 반측 사지운동마비, 감각장애가 2~3개월부터 서서히 출현하며, 자연완화가 적다.

중추성동통은 난치성인 경우가 많다. 약물요법으로는 과도한 기대는 하지 말고, 동통에 의한 야간불면의 개선, 일이나 여가활동의 달성도개선 등, 구체적 목표를 설정하여 치료를 착실히 한다. 진통효과가 불충분한 경우, 약물을 감량 · 중지하면 증상이 악화된다. 재투여하여 개선이 되면 타협적인 만족을 얻기도 한다. 각종 약물요법이 효과를 나타내지 않고, 현저한 ADL제한이 개선되지 않는 경우나 통증이 계속되는 경우에는 전기자극장치를 체내에 삽입하게 된다. 대뇌운동영역 자극 또는 시상(視床)이나 내포(內包) 등으로 뇌심부자극도 행해진다. 두침요법은 그 전기자극요법과 공통점을 가지며 증상의 완화를 치료목표로 한다.

【치료목표】 진정, 진통, 뇌기능의 조정

【처　　방】 1) 진정 : 액중선 (MS1)

2) 진통 : 섭전선(MS10) · 섭후선 (MS11)

3) 뇌활성화 : 정중선 (MS5)

4) 침구처방 : 내관(內關), 합곡(合谷), 삼음교(三陰交), 태충(太衝), 심유(心兪), 간유(肝兪)

18. 두통

국제두통분류 제2판에서, 두통은 1차성두통, 2차성두통 및 두부신경통, 중추성 · 1차성안면통으로 분류된다. 1차성두통은 만성두통이라고도 한다. 편두통, 긴장형두통, 군발(群發)두통은 1차성두통으로 분류되어 있다.

1)편두통 : 4~72시간에 걸친 지속적 두통, 편측성, 박동성, 중등도~중도의 두통, 일상동작에 의한 악화를 특징으로 하며, 오심, 구토, 빛과민 및 소리과민을 수반한다.

2)긴장형두통 : 정신적 · 사회적 스트레스 등이 원인이며, 두경부의 근육긴장으로 양측성으로 출현하는 압박감 또는 조이는 느낌을 갖는다. 경도~중등도 두통이다. 일상적인 동작으로 인한 악화, 오심은 없지만, 빛과민 또는 소리과민이 있다.

3)군발(群發)두통 : 편측 안와주위나 안와를 중심으로 1시간정도 계속되는 격통으로, 취침직후에 확인되는 경우가 많다. 군발기와 관해기로 나누며, 두통발작중은 안정되지 않고, 두통과 같은 측에 유루(流淚) · 결막충혈 · 코막힘 · 콧물 등의 부교감신경항진증상이나 Horner징후(축동 · 안검하수) 를 수반한다.

【치료목표】 진정, 진통, 뇌기능의 조정

【처　　방】 1) 진정 : 액중선 (MS1)

2) 진통 : 섭전선(MS10) · 섭후선 (MS11), 침상정중선 (MS12), 침상방선(MS13), 침하방선 (MS14)

3) 뇌활성화 : 정중선 (MS5)

4) 침구처방 : 내관(內關), 열흠(列欠), 삼음교(三陰交), 태충(太衝), 심유(心兪), 간유(肝兪)

19. 삼차신경통 · 설인신경통 · 후두신경통

신경통은 말초신경지배영역을 따라서 생기는 동통이다. 특발성과 증후성으로 나눈다. 급성, 또는 만성적 경과로, 지속이 짧은 전격통(電擊痛), 자발통, 이상통증을 특징으로 한다. 심신에 스트레스가 되며, 일상생활에 지장을 초래한다.

1)삼차신경통 : 주로 일측성 안면 (특히 제2 · 3지영역) 의 전격통이나 작열통으로 구순주위, 비익, 뺨 등에 특정한 동통영역을 확인하고, 세안, 양치질, 머리빗질, 식사 등으로 유발된다. 때로 안와상 · 하연, 밑턱부 등에서 압통점이 확인된다. 삼차신경영역의 발작성 통증이 몇 초에서 2분간 지속된다. 격통, 날카로운 통증, 표재통 또는 자통(刺痛)으로, 유발인자에 따라서 악화된다. 타질환을 제외한다.

삼차신경영역의 대상포진후 신경통 : 삼차신경영역의 대상포진으로 갑자기 속발하는 동통.

2)설인신경통 : 저작, 연하에 수반하여, 인두, 설근부에 출현하는 격통, 때로 서맥, 혈압저하, 실신을 수반한다. 삼차신경 제3지의 통증이란 식사 때, 인두의 움직임에 수반하여 출현하는 것으로 감별할 수 있다.

3)후두신경통 : 한쪽 후경부에서 후두부에 걸쳐서 상행하는 전격통을 특징으로 한다. 대후두신경, 소후두신경 또는 제3후두신경의 지배영역에 생기는 특발성의 찌르는 듯한 통증으로, 때로 감각둔마나 이상감각을 수반한다.

【치료목표】 진정, 진통, 뇌기능의 조정

【처　　방】 1) 진정 · 진통 : 액중선 (MS1) · 섭전선(MS10) · 정섭후사선 (MS7)의 4/5~5/5

2) 뇌활성화 : 정중선 (MS5)

3) 침구처방 : 양백(陽白), 어요(魚腰), 사백(四白), 하관(下關), 협거(頰車), 열흠(列欠), 합곡(合谷), 완골(完骨), 천주(天柱), 족삼리(足三里), 삼음교(三陰交), 태충(太衝), 심유(心兪), 간유(肝兪)

20. 늑간신경통 · 좌골신경통

1)늑간신경통 : 한쪽 체간의 늑간신경의 분포에 따른 지속성이 짧은 동통으로, 기침이나 심호흡, 노책(怒責) 등으로 유발된다. 증후성에서는 척추질환, 척수질환에 추가하여, 대상포진 등, 원인이 다양하다.

2)좌골신경통 : 좌골신경은 L4에서 S2의 신경근, 요선골신경총에서 이상근하공(梨狀筋下孔)을 거쳐서 대퇴후면을 하행하여, 경골신경 · 비골신경에 분포한다. 좌골신경의 분포에 따른 동통을 말한다. 척추증, 특히 요추추간판증, 요추분리활주증, 요부 척추관협착증, 변형성척추증 등과 관련된 신경근증이 많지만, 이상근증후군, 대상포진, 종양 (특히 전이성골종양 등), 염증 등에도 나타난다.

【치료목표】 진정, 진통, 뇌기능의 조정

【처　　방】 1) 진정 · 진통 : 정방 I 선 (MS8), 정섭후사선 (MS7) 1/5~2/5, 액방 I 선(MS2)

2) 뇌활성화 : 정중선 (MS5)

3) 침구처방 : 환도(環跳), 양릉천(陽陵泉), 족삼리(足三里), 태충(太衝), 간유(肝　兪), 신유(腎兪), 대장유(大腸兪)

5-2 현기증/메니에르병

21. 현기증

현기증에 기인하는 질환은 다양하다. 전정(前庭) 감각, 시각, 심부감각의 불균형이나 통합이상으로 생기는 이상감각을 특징으로 하며, 혈압저하나 우울 등의 심인성증상, 오심 · 구토를 수반한다.

1)중추성 현기증 : 비틀거리는 부동성 현기증이며, 신경증후를 수반하고 있다. ①뇌간장애 : 마비, 감각장애, 구음장애, 안구운동장애, ②소뇌상부의 장애 : 구음장애나 사지의 운동실조, ③소뇌하부의 장애 : 체간실조를 수반하는 것을 구별한다.

2)말초성 현기증 : 중추성 현기증보다 발병 빈도가 높다. 가장 빈도가 높은 것은 양성발작성두위현기증이다.

치료는 원인질환의 치료, 급성기 대증요법, 만성기 유지요법으로 나뉜다.

【치료목표】 뇌기능의 조정, 현기증의 개선, 평형기능의 개선
【처　　방】 1) 현기증 : 섭후선 (MS11)
2) 평형조정 : 침하방선 (MS14)
3) 뇌활성화 : 정중선 (MS5)
4) 진정 : 액중선 (MS1)
5) 침구처방 : 풍지(風池), 예풍(翳風), 청궁(聽宮), 태충(太衝), 간유(肝兪), 신유(腎兪)

22. 메니에르병

내이성(內耳性) 현기증이다. 반복성 발작, 난청, 이명, 이폐감(耳閉感)을 특징으로 하는 회전성 현기증이다.

급성기에는 대증요법에 의한 진정을 기본으로 하며, 오심 · 구토 등의 자율신경증상을 경감시킨다. 난청이 급속히 진행된 경우에는 부신피질스테로이드 투여를 추가한다. 회복기에는 내복약에 의한 약물치료를 한다. 간헐기에는 발작의 재발억제, 잔존하는 난청의 개선을 목표로 하며, 생활습관의 개선, 충분한 수면, 적당한 운동, 금연, 저염식, 많은 양의 수분섭취에 힘쓴다.

【치료목표】 뇌기능의 조정, 현기증의 개선, 평형기능의 개선
【처　　방】 1) 현기증 : 섭후선 (MS11)
2) 평형조정 : 침하방선 (MS14)
3) 뇌활성화 : 정중선 (MS5)
4) 진정 : 액중선 (MS1)
5) 침구처방 : 풍지(風池), 예풍(翳風), 청궁(聽宮), 태충(太衝), 간유(肝兪), 신유(腎兪)

5-2 멀미(동요병)/본태성 진전

23. 멀미(동요병)

차멀미, 배멀미라고도 한다. 동요병이나 가속도병과 같은 의미이다. 자동차, 선박, 비행기, 열차, 제트코스터 등을 탔을 때, 신체에 대한 가속이나 동요로 생기는 병태를 말한다. 하품, 안면창백, 식은땀, 두통, 오심, 구토 등의 자율신경증상을 나타낸다. 전정각(前庭覺)(반규관(半規管)이나 이석(耳石)), 시각, 신체의 심부감각 (체성감각) 에 의해서, 대뇌에서의 정보처리가 착란을 일으키기 때문이다.

7세정도에서 흔히 확인되는데, 고학년이 되면서 감소하는 경향이 있다. 성인의 경우는 여성에게 많다. 심리적 요인에 과로, 수면부족, 차내 공기의 오염이나 더위 등이 영향을 미친다.

멀미 (동요병) 의 예방이나 개선에는 심리적 훈련, 자율훈련이나 안정요법 등, 행동요법이 행해진다. 충분한 수면, 휴식, 공복이나 과식을 삼가야 한다. 약물요법은 탈것에 타기 30분전이나 증상이 발현하기 전의 복용이 포인트이다.

【치료목표】 뇌기능의 조정, 진정, 평형기능의 개선

【처　　방】 1) 현기증 : 섭후선 (MS11)

2) 평형조정 : 침하방선 (MS14)

3) 뇌활성화 : 정중선 (MS5)

4) 진정 : 액방 I 선 (MS2) · 액방 II 선 (MS3)

5) 침구처방 : 인당(印堂), 내관(內關), 예풍(翳風), 청궁(聽宮), 태충(太衝), 간유(肝兪), 신유(腎兪)

24. 본태성 진전

진전(振戰)은 '떨림' 을 말한다. 본태성 진전은 그 떨림이 일상생활에 장애를 일으키는 병태이다. 가족성 본태성 진전, 자세시 진전, 동작시 진전으로 분류된다. 임상에서는 파킨슨병 등의 신경질환, 갑상선기능항진증, 약물의 부작용, 알콜이탈증상, 간성뇌증 등의 대사성뇌증을 감별해야 한다.

약물치료는 60~70%의 환자에게 유효하지만, 정위(定位)뇌수술은 약물이 효과가 없으며, 손의 진전이 현저해지는 경우에 선택된다.

【치료목표】 뇌기능의 조정, 진정

【처　　방】 1) 뇌활성화 : 정중선 (MS5)

2) 진전개선 : 정섭전사선 (MS6), 정방 I 선 (MS8), 정방 II 선 (MS9)

3) 진정 : 액중선 (MS1)

4) 침구처방 : 풍지(風池), 대추(大椎), 곡지(曲池), 합곡(合谷), 양릉천(陽陵泉), 족삼리(足三里), 태충(太衝), 간유(肝兪), 신유(腎兪)

5-3 환경 · 직업인자에 따른 질환의 두침요법

환경 · 직업인자에 따른 질병에 대한 관심이 높아지고 있다. 두침요법은 건강관리, 건강증진, 직장에서의 정신건강, 심신케어에 기여한다.

치료부위

①두정부에 있는 정중선(頂中線)(MS5) · 정방 I 선(頂旁 I 線)(MS8), 정방 II 선(頂旁 II 線)(MS9). ②측두부에 있는 정섭전사선(頂顳前斜線)(MS6) · 정섭후사선(頂顳後斜線)(MS7). ③전두부에 있는 액중선(額中線)(MS1) · 액방 I 선(額旁 I 線)(MS2) · 액방 II 선(額旁 II 線)(MS3) · 액방 III 선(額旁 III 線)(MS4)을 기본으로 하고 있다.

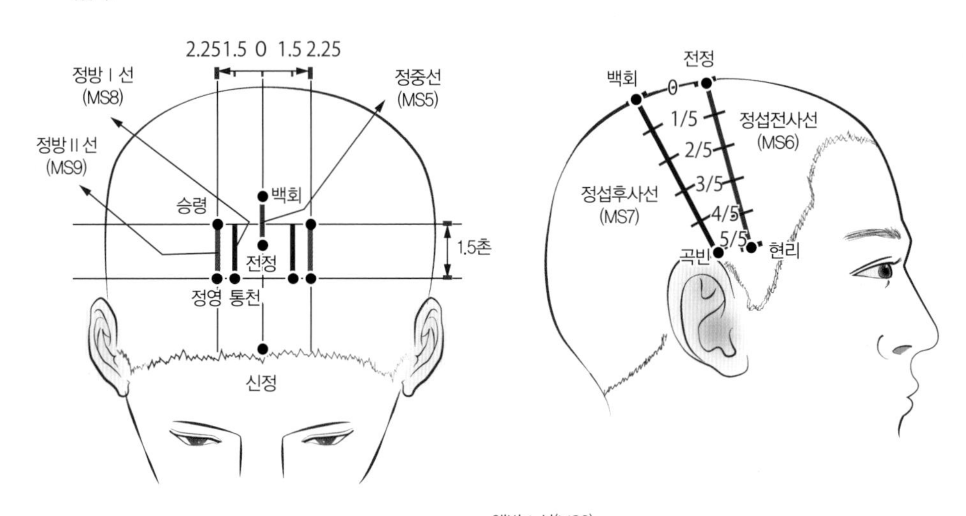

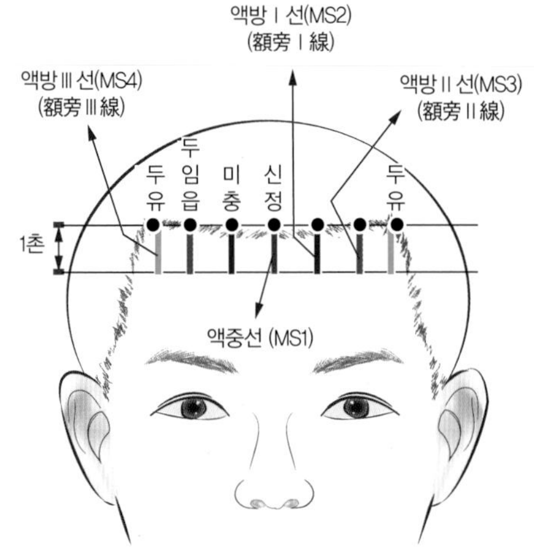

5-3 급성방사선장애/고산병(高山病)

1. 급성방사선장애

전신에 1gray이상의 방사선피폭을 받았을 때에 발병하는 급성장애이다. 시간경과에 따라서 전구기, 잠복기, 발병기, 회복기로 나눈다. 대표적 증후는 조혈기능장애, 소화관장애, 뇌혈관 · 중추신경장애, 피부장애 등이다. 발병의 정도, 생명의 위험도는 방사선의 정도, 선량, 선량률, 외부조사나 내부조사 (방사성 동위원소의 흡입 등) 에 따라서 그 대처법이 다르다.

1)전구기 : 피폭 후 48시간이내에 발병하며, 오심, 구토, 일과성 설사 등의 소화기증상을 주징으로 한다. 전신권태감, 타액선종창, 두통, 발열, 피부의 발적 등을 수반한다.

2)잠복기 : 2gray 이상의 피폭방사선선량이며, 세포사를 초래하고 며칠 후에 장기의 장애를 초래한다. 조혈부전, 백혈구감소에 의한 감염, 혈소판감소에 의한 출혈이 보인다. 소화관점막장애로 인한 설사, 하혈, 피부의 발적이나 미란, 탈모가 수반한다. 중추신경증상으로 일과성 의식장애, 경련도 있다.

방사선피폭의 긴급대응으로, 전신피폭과 국소피폭으로 나누며, 환자의 오염 제거, 외상이나 열상에 대한 대처가 행해진다. 내부피폭인 경우는 예방적으로 안정요소제를 투여한다.

두침요법의 효과는 한정적이지만, 심신의 케어를 지지한다.

【치료목표】 진정, 심신케어

【처　방】 1) 진정 : 액중선 (MS1), 액방 I 선 (MS2) · 액방 II 선 (MS3) · 액방 III 선 (MS4)

2) 뇌활성화 : 정중선 (MS5),

3) 침구처방 : 심유(心兪), 간유(肝兪), 비유(脾兪), 신유(腎兪), 내관(內關), 신문(神門), 관원(關元), 삼음교(三陰交), 태충(太衝)

2. 고산병(高山病)

흡입기산소분압의 저하에 기인하는 저산소혈증이다. 피로, 탈수, 한냉 등이 관여하며, 호흡기, 순환기, 혈액질환 등이 있는 사람이나, 하이페이스한 등산이 되기 쉬운 젊은 사람에게 발병하기 쉽다. 일반적으로 4~12시간이내에 두통, 오심과 구토, 피로와 탈력, 현기증과 휘청거림, 수면장애 등의 증상이 나타난다. 고지폐수종이나 고지뇌부종은 해발 3,000m이상에서 증상이 나타난다.

천천히 산에 오른다, 심호흡한다. 수분을 충분히 섭취한다. 보온에 힘쓰고, 산소흡입을 하며, 벨트 등으로 몸을 꽉 조이지 않는 등의 예방을 해야 한다. 예방제로서, 환기를 촉진시키고 저산소혈증을 경감시키는 약물을 사용하고 있다.

두침요법은 고지폐수종이나 고지뇌부종을 제거하여, 고산병에 나타나는 증상을 경감시킨다.

【치료목표】 뇌기능의 조정, 진정, 평형기능의 개선

【처　방】 1) 현기증 : 섭후선 (MS11)

2) 평형조정 : 침하방선 (MS14)

3) 뇌활성화 : 정중선 (MS5)

4) 진정 : 액방 I 선 (MS2) · 액방 II 선 (MS3)

5) 침구처방 : 내관(內關), 예풍(翳風), 청궁(聽宮), 중완(中脘), 족삼리(足三里), 태충(太衝), 비유(脾兪), 간유(肝兪), 신유(腎兪)

5-3 진동장애/VDT작업에 의한 장애

3. 진동장애

진동공구를 장기간 사용하는 직업을 가진 사람들에게 나타난다. 손가락, 전완에 말초순환장애, 말초신경장애, 골근격계 (운동기) 장애를 초래하는 증후군이다.

진동장애에는 손의 냉기나 레이노현상, 손가락의 저림이나 동통, 감각둔마 등의 말초신경장애, 또 상지관절의 동통이나 악력저하, 치밀성저하 등의 운동기장애를 수반한다.

원인인 진동공구의 사용을 금지한다. 일상생활에서는 금연하고, 냉한기의 보온, 적절한 운동이 중요하다. 대증요법으로 말초순환개선을 위한 이학요법과 증상개선이나 레이노현상의 발작경감을 위해서 약물요법을 한다.

【치료목표】 감각운동기능의 개선, 진정
【처　　방】 1) 운동조정 : 장애반대측의 정섭전사선(MS6), 정방 I 선(MS8), 정방 II 선(MS9)
2) 감각조정 : 장애반대측의 정섭후사선 (MS7)
3) 뇌활성화 : 정중선 (MS5)
4) 진정 : 액중선 (MS1)
5) 침구처방 : 풍지(風池), 합곡(合谷), 곡지(曲池), 견우(肩髃), 환도(環跳), 양릉천(陽陵泉), 족삼리(足三里), 삼음교(三陰交)

4. VDT작업에 인한 장애

컴퓨터 디스플레이 단말작업, TV게임, 스마트폰 등, 눈을 혹사시키는 것에 의한 안정(眼精)피로를 주된 증상으로 하며, 신체적, 정신적으로 다양한 증상이 수반되는 증후군이다. 최근 IT정보기술이나 기기의 보급에 따라서, VDT증후군은 연령층을 불문하고, 급격히 증가하고 있다.

자각증상은 눈의 피로, 통증, 건조함, 침침함, 또 경견완부(頸肩腕部)의 결림, 요통, 나른함, 손발의 저림, 생리불순 등이 나타난다. 정신증상으로 불면, 우울 등이 있다. 안증상으로 눈의 깜빡거림의 감소, 기능적인 안구건조가 나타난다. 후생노동성이 'VDT작업에 있어서 노동위생관리를 위한 가이드라인'을 상세히 정하여, 건강관리를 권장하고 있다.

작업 중, 적절한 휴식, 신체운동, 눈과의 적절한 거리 유지, 적절한 조명 등에 유의한다.

안증상에는 인공누액점안제, 보습점안제 및 모양체근의 과긴장을 조절하는 안약이 처방된다. 경견완부의 결림이나 요통에는 정형외과에서, 운동요법, 자세조정, 온열요법이 행해진다. 정신신경증상에는 상담이나 항불안제, 항우울제, 수면제 등을 처방한다.

【치료목표】 뇌기능의 조정, 진정, 심신케어
【처　　방】 1) 진정 : 액중선 (MS1)
2) 뇌활성화 : 정중선 (MS5)
3) 안증상 : 침상정중선 (MS12), 침상방선 (MS13)
4) 운동조정 : 정방 II 선 (MS9), 정섭후사선 (MS7) 의 2/5
5) 침구처방 : 정명(睛明), 내관(內關), 합곡(合谷), 수삼리(手三里), 위중(委中), 족삼리(足三里), 삼음교(三陰交), 태충(太衝)

5-3 직장 부적응증

5. 직장 부적응증

직장에서 여러 가지 생활상의 갈등으로 인한, 심신의 스트레스를 견디지 못하고, 불안이나 초조, 우울한 기분, 절망감, 직장에 대한 분노, 혐오감, 지각, 무단결근, 또 휴업에까지 쫓기는 상태이다. 우울경향과 우울증이 유사하지만, 적응장애에서 분류된다.

【치료목표】 진정, 심신케어

【처　　방】 1) 진정 : 액중선 (MS1), 액방Ⅰ선 (MS2), 액방Ⅱ선 (MS3), 액방Ⅲ선 (MS4)
2) 뇌활성화 : 정중선 (MS5)
3) 침구처방 : 심유(心兪), 간유(肝兪), 비유(脾兪), 내관(內關), 삼음교(三陰交), 태충(太衝)

5-4 정형외과질환의 두침요법

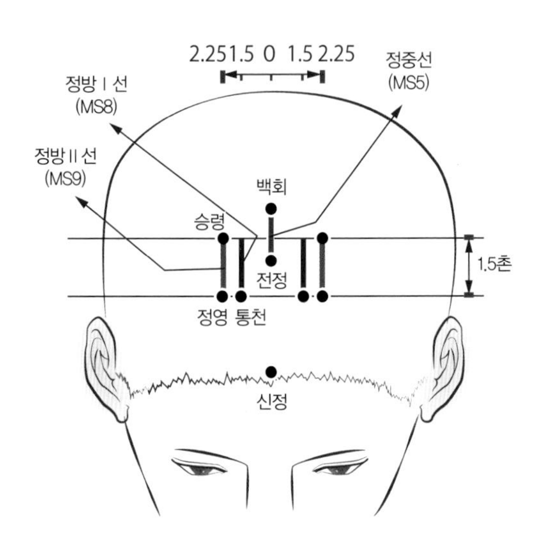

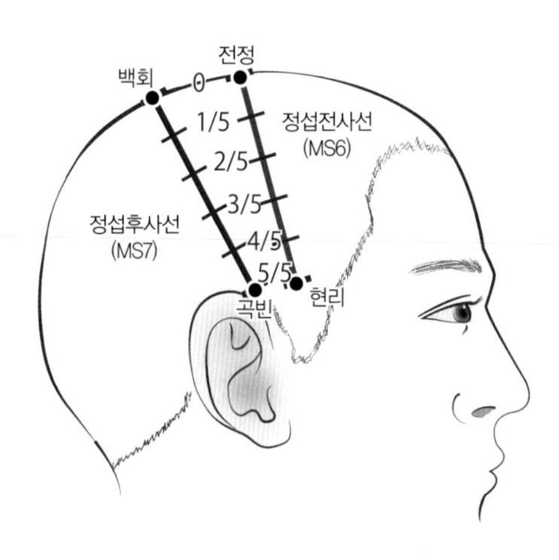

정형외과질환은 인체의 골·관절·근육 등의 운동기계를 기반으로 하며, 신경이나 혈관과 끊을래야 끊을 수 없는 병태를 갖는다. 스포츠 인구나 고령자의 증가로, 정형외과질환에 대한 의료는 중요한 과제이다. 정형외과질환에서는 수술요법, 보존적요법 및 대부분의 대체요법이 응용되고 있다. 두침요법은 정형외과질환에 나타나는 운동장애, 운동기능의 개선 및 통증 케어에 기여하고 있다.

치료부위

① 두정부에 있는 정중선(頂中線)(MS5)·정방 I 선(頂旁 I 線)(MS8)·정방 II 선(頂旁 II 線)(MS9). ② 측두부에 있는 정섭전사선(頂顳前斜線)(MS6)·정섭후사선(頂顳後斜線)(MS7) 을 기본으로 하고 있다.

5-4 요통

1. 요통

외래에서 가장 많은 내원이 있고, 가령과 더불어 발병률이 상승하고 있다. 요배부에 통증을 일으키고 있는 병태이며, 원인질환은 여러 갈래에 걸치므로, 감별진단이 가장 중요하다.

1)갑자기 허리를 삐끗하여 아파서 움직일 수 없는 병 : 급성요통을 포함하여, 요통의 약 80%이상은 임상검사에서 특이적인 병태가 확실하지 않은 비특이적 요통이다. 대개 1~2주에 경감되지만, 2주가 지나도 동통이 개선되지 않거나, 악화나 변화가 있는 경우에는 전문병원에서 정밀검사를 한다.

2)원인질환에 기인하는 요통 : 악성종양, 감염, 골절, 그 밖에 염증성질환에 따른 요통이나 좌골신경통, 마미(馬尾)증상이라는 신경증상을 수반하는 요통이 있다. 발병률은 비교적 낮지만, 조기진단, 조기치료를 요한다. 문진시에 발열, 체중감소, 악성종양의 기왕, 선행감염증, 이감염성, 외상력 등의 유무를 반드시 확인한다.

3)만성요통 : 6주이상 지속되는 요통을 임상정의로 한다. 동통을 경감시키고, 일상생활을 할 수 있도록 도모하는 것을 치료목적으로 한다.

치료는 과잉 안정을 필요로 하지 않는다. 적절한 운동, 동통의 경감 및 ADL의 개선이 중요하다. 두침요법은 동통의 완화, 운동기능의 개선에 일조가 된다.

【치료목표】 진정, 진통, 감각 · 운동기능의 개선

【처　방】 1) 운동조정 : 장애반대측의 정섭전사선(MS6) 의 1/5, 정방 I 선(MS8)
2) 감각조정 : 장애반대측의 정섭후사선 (MS7) 의 1/5
3) 뇌활성화 : 정중선 (MS5)
4) 진정 : 액중선 (MS1)
5) 침구처방 : 신유(腎兪), 대장유(大腸兪), 환도(環跳), 위중(委中), 양릉천(陽陵泉), 내관(內關), 인중(人中)

2. 요추 추간판탈출증

추간판의 수핵조직이 척추관 내에 돌출 또는 탈출한 병태이다. 돌출한 헤르니아덩어리에 의해 신경근이나 마미(馬尾)가 압박을 받아서, 요통, 하지통 · 하지의 마비감을 주증으로 한다. 20~40대에 호발한다. 이환부위로, L4~5사이가 가장 많고, 다음에 L5~S1사이이다. 하위 요추 추간판탈출증(L4~5, L5~S1) 에 의한 신경근성 동통은 좌골신경통이라고 한다. 요통, 하지통은 운동이나 노동으로 악화되고, 안정으로 경감되는 경우가 많지만, 중증인 경우는 하지근력저하, 지각둔마나 방광직장장애 등의 증상이 나타난다. SLR테스트는 좌골신경통의 유발테스트로, 하위 요추 추간판탈출증을, FNST에서는 L2~3, L3~4 추간판탈출증이 시사된다.

요추 추간판탈출증(좌골신경통)은 보존요법을 기본으로 한다.

급성기 : 적절한 자세로 안정을 유지하게 한다. 필요에 따라서 연성 코르셋을 장착한다. 항염증제, 근이완제를 처방한다. 강한 동통인 경우는 경막외 블록을 한다.

만성기 : 물리요법과 운동요법을 하고, 동통의 경감, 운동기능의 개선 및 ADL의 유지를 치료방침으로 한다. 하지마비나 방광직장장애 등의 중증례나 난치례에서는 수술요법이 행해진다. 두침요법은 동통의 완화, 운동기능의 개선을 돕는다.

【치료목표】 진정, 진통, 감각 · 운동기능의 개선

【처 방】 1) 운동조정 : 장애반대측의 정섭전사선(MS6) 의 1/5, 정방 I 선(MS8)
2) 감각조정 : 장애반대측의 정섭후사선 (MS7) 의 1/5
3) 뇌활성화 : 정중선 (MS5)
4) 진정 : 액중선 (MS1)
5) 침구처방 : 신유(腎兪), 대장유(大腸兪), 환도(環跳), 위중(委中), 양릉천(陽陵泉), 곤륜(崑崙), 태계(太溪), 내관(內關), 인중(人中)

3. 요추 변형성척추증 · 척추관협착증

1)요추 변형성척추증 : 가령에 따르는 추간판의 골경화 · 골극의 형성과 인대의 비후 · 변성으로 일어나게 된 병태이다.

2)요부 척추관협착증 : 신경성 간헐파행을 특징으로 하며, 황색인대나 추간관절의 비후, 추간판 팽륭, 전방전위 등으로 척추관이 협착되어, 신경압박증상을 나타내는 병태이다.

보존요법을 치료의 기본방침으로 하지만, 신경탈락증상이나 방광직장장애 등의 중증례에는 수술적응이 된다. 두침요법은 동통의 완화, 운동기능의 개선을 돕는다.

【치료목표】 진정, 진통, 감각 · 운동기능의 개선

【처 방】 1) 운동조정 : 장애반대측의 정섭전사선(MS6) 의 위 1/5, 정방 I 선(MS8)
2) 감각조정 : 장애반대측의 정섭후사선 (MS7) 의 위 1/5
3) 뇌활성화 : 정중선 (MS5)
4) 진정 : 액중선 (MS1)
5) 침구처방 : 신유(腎兪), 대장유(大腸兪), 환도(環跳), 위중(委中), 양릉천(陽陵 泉), 내관(內關), 인중(人中)

4. 슬관절 증후

1)변형성 슬관절증 : 중년 이후의 비만여성에게 호발한다. 내측형 (O자 다리변형) 이 많지만, 외측형 (X자 다리변형) 도 있다. 동통 (운동개시시, 계단 오르내릴 때, 장시간의 보행), 슬관절수종 (슬개도동), 대퇴사두근위축, 슬관절의 가동역제한, 내반변형, 측방동요, 크릭음 (알력음), 관절열극의 압통이 나타난다.

2)햄스트링증후군 : 대퇴후방에 있는 대퇴이두근, 반막양근 및 반건양근의 2근을 햄스트링스라고 한다. 하지의 움직임에 깊이 관여한다. 스포츠로 근육이 갑자기 수축하여 끊어지는 등의 장애를 일으키고, 동통, 운동장애 및 종창이 나타난다.

3)장경인대염(腸脛靭帶炎) : 장거리달리기 선수에게 발생하기 쉽다. 대퇴골외측상과의 골성융기부와 장경인대와의 과도한 마찰로, 염증이나 동통이 나타난다.

4)슬관절활액포염 : 슬관절 주위에 있는 인대, 근건, 골의 찰과로 활액포에 스트레스를 주어, 슬관절의 활액포에 압통 · 운동통 · 종창이 나타난다.

5)점퍼무릎 : 슬개인대염을 말하며, 배구나 농구 등의 점프를 하는 경기자에게 주로 생긴다. 슬개골하단과 슬개인대의 부착부에 동통, 슬개골하단에 위축상이나 골극형성이 나타난다.

6)오스굿병 : 경골조면(粗面)의 골화부에 반복해서 견인력이 가해져서 발생한다. 발육기에 흔히 점프를 하는 남자에게 많다. 경골조면에 압통, 골성 융기, 운동통이 나타난다.

7)거위발건염(아족염) : 거위발은 반건양근, 박근(薄筋)과 봉공근(縫工筋)으로 이루어진다. 운동스트레스로 인해서, 슬개골의 내하방에서 경골내측과에 압통, 딱딱한 느낌이나 종창이 나타난다.

【치료목표】 진정, 진통, 감각 · 운동기능의 개선

【처　　방】 1) 운동조정 : 장애반대측의 정섭전사선(MS6) 의 1/5, 정방 I 선(MS8)
2) 감각조정 : 장애반대측의 정섭후사선 (MS7) 의 1/5
3) 뇌활성화 : 정중선 (MS5)
4) 진정 : 액중선 (MS1)
5) 침구처방 : 풍시(風市), 양구(梁丘), 혈해(血海), 독비(犢鼻), 위중(委中), 양릉천(陽陵泉), 음릉천(陰陵泉), 족삼리(足三里), 삼음교(三陰交), 내관(內關), 인중(人中)

5-4 하퇴의 증후

5. 하퇴의 증후

1)경골신경마비 : 경골신경은 후경골동맥을 따라서 하주하고, 하퇴삼두근이나 족저근을 지배한다. 외상, 좌절, 및 주행부위의 교액에 의해서, 족관절의 저굴, 내전장애, 하퇴후면에서 족저부로의 지각장애, 외반구족 등의 경골신경마비증상이 나타난다.

2)총비골(總腓骨)신경마비 : 총비골신경은 비골두의 바로 아래에서, ①외측비복피신경, ②천비골신경과 ③심비골신경의 3가지로 나눈다. 외상, 좌절 및 주행부위의 교액으로 비골신경마비가 발병한다. 족관절의 배굴, 외반운동장애, 하퇴전외측에서 발등으로의 지각장애, 족하수(내반첨족) 이 보인다.

3)구획증후군 : 상지와 하지의 골과 근막으로 구성되는 구획 (컴파트먼트) 의 내압이 외상성 혈종, 부종, 깁스나 탄력포대의 압박 등을 원인으로 상승하여, 혈행장애나 신경마비를 초래하며, 또 근의 기능부전이나 근괴사에 이르는 병태이다. 증상으로 극심한 동통, 장애근의 스트레치에 의한 동통의 증강, 지각장애나 운동장애가 보인다.

4)전비골신경증후군 : 족관절, 엄지발가락의 배굴장애, 엄지발가락~제2지의 지각장애가 특징이다.

5)정강이 통증 : 경골을 따라서, 특히 그 아래쪽 1/3에 나타나는 쑤시는 듯한 둔통이 특징이다.

【치료목표】 진정, 진통, 감각 · 운동기능의 개선

【처　　방】 1) 운동조정 : 장애반대측의 정섭전사선(MS6) 의 1/5, 정방 I 선(MS8)

2) 감각조정 : 장애반대측의 정섭후사선 (MS7) 의 1/5

3) 뇌활성화 : 정중선 (MS5)

4) 진정 : 액중선 (MS1)

5) 침구처방 : 양릉천(陽陵泉), 족삼리(足三里), 승산(承山), 외구(外丘), 삼음교(三陰交), 곤륜(崑崙), 내관(內關)

5-4 족관절의 증후

6. 족관절의 증후

1)족근관(足根管)증후군 : 발의 굴근지대와 경골, 종골로 둘러싸여 있는 구획을 족근관(足根管)이라고 한다. 그 좁은 공간을 (후)경골신경 · 장모지굴근, 장지굴근 · 경골동맥이 주행한다. 외상, 장거리보행, 임신 및 강글리온에 의해서, 족근관증후군이 발병하고, 경골신경마비, 발바닥이나 발가락의 지각장애, 동통이 나타난다.

2)아킬레스건염 (주위염) : 아킬레스건은 비복근과 넙치근의 건이 공통건이 되어 종골에서 정지한다. 아킬레스건염과 아킬레스건 주위염은 달리기나 점프 등을 반복하는 스포츠에서 발병한다. 족관절에 염좌나 타박이 없는데, 아킬레스건에 동통, 운동통이 나타난다. 중증이 되면, 일상적인 보행이나 계단의 오르내림에서도 동통이 나타난다.

3)아킬레스건 단열 : 아킬레스건 단열부에 함요(陷凹), 족관절에 저굴장애, 발끝으로 서는 것이 불가능, 톰슨테스트 양성이 나타난다.

4)족관절인대 손상 : 스포츠나 전도 등의 급격한 외력으로 족관절의 운동장애를 일으킨다. 외측측부인대손상이 많고, 동통, 종창, 피하출혈이 나타난다.

【치료목표】 진정, 진통, 감각 · 운동기능의 개선

【처　　방】 1) 운동조정 : 장애반대측의 정섭전사선(MS6) 의 1/5, 정방 I 선(MS8)

2) 감각조정 : 장애반대측의 정섭후사선 (MS7) 의 1/5

3) 뇌활성화 : 정중선 (MS5)

4) 침구처방 : 양릉천(陽陵泉), 족삼리(足三里), 태계(太溪), 곤륜(崑崙), 상구(商丘), 해계(解溪), 구허(丘墟)

7. 경추성 척수증 · 경부신경근증

경추성 척수증과 경부신경근증은 경추부(頸椎部)의 가령변성에 의해서 신경근이나 척수가 압박을 받는 병태이다.

1)경추성 척수증상 : 압박부위나 정도에 따라 다르지만, 상지에 수절성(髓節性) 운동 및 감각장애, 하지에 추체로증상과 지각장애, 횡단성장애에서는 장애부 이하의 운동마비와 감각마비가 보인다. 신경근증상에서, 척수증에서는 완화와 악화를 반복하며, 만성적으로 진행된다. 보존요법보다 수술요법이 우선된다.

2)경부신경근증 : 극심한 경부통과 경추의 운동제한, 상지로의 방산통을 특징으로 하며, 지배신경영역에 지각장애나 근력저하가 나타난다. 통증은 흉부로 방산되는 경우도 있으며, 협심증과의 감별진단에 주의한다. 경추견인, 경추고정, 약물치료나 신경근블록 등의 보존요법이 기본치료방침이 되지만, 부적절한 견인이나 카이로프랙티스(척추 교정술)는 신중히 해야 한다.

【치료목표】 진정, 진통, 감각 · 운동기능의 개선

【처　방】 1) 운동조정 : 장애반대측의 정섭전사선 (MS6) 의 3/5~4/5, 정방Ⅱ선 (MS9)
2) 감각조정 : 장애반대측의 정섭후사선 (MS7) 의 3/5~4/5
3) 뇌활성화 : 정중선 (MS5)
4) 진정 : 액중선 (MS1)
5) 침구처방 : 풍지(風池), 천주(天柱), 경백로(頸百勞), 극천(極泉), 견우(肩髃), 견정(肩貞), 곡지(曲池), 수오리(手五里), 외관(外關)

8. 경추염좌(頸椎捻挫)

이른바 편타성 손상 · 외상성 경부증후군으로, 경추를 지지하는 연부조직 (근육, 인대, 추간판) 의 손상을 특징으로 한다. 교통사고에 기인하는 경우가 많지만, 그 밖에 전도 · 전락, 스포츠, 폭력, 노동재해 등으로 인한 경우도 있다. 임상증상으로 경부통, 두통 등을 주증상으로 하며, 상지의 마비, 탈력이나 현기증, 이명, 오심, 전신권태감, 구갈감, 집중력저하를 수반한다.

퀘백분류의 grade Ⅰ에서는 안정이나 경추칼라장착 등은 필요없다. grade Ⅱ ~ Ⅲ에서는 강한 통증을 수반하는 경우에는 며칠간 안정이나 칼라를 장착한다. 급성기에는 비스테로이드성 소염진통제를, 만성화례에는 항우울제나 항불안제를 투여한다. 이학요법은 등척성운동이나 스트레칭을 비교적 조기부터 하며, 경추견인이나 온열요법을 보완적으로 병행한다.

경추염좌는 예후가 양호하며, 가능한 조기에 일상생활로 복귀시킨다

【치료목표】 진정, 진통, 감각 · 운동기능의 개선

【처　방】 1) 운동조정 : 장애반대측의 정섭전사선 (MS6) 의 3/5~4/5, 정방Ⅱ선 (MS9)
2) 감각조정 : 장애반대측의 정섭후사선 (MS7) 의 3/5~4/5
3) 뇌활성화 : 정중선 (MS5)
4) 진정 : 액중선 (MS1)
5) 침구처방 : 풍지(風池), 천주(天柱), 경백로(頸百勞), 견정(肩貞), 곡지(曲池), 수삼리(手三里), 외관(外關), 합곡(合谷)

9. 오십견 · 회전근개파열(손상)

건판이나 상완이두근장두건 등의 견연부(肩軟部) 조직의 변성이나 노화에 기인하는 유통성 견관절질환이다. 중고령자에게 호발한다.

1)특발성 오십견 : 원인불명이며, 견관절의 동통과 견관절의 전 방향으로의 운동이 장애를 받는다.

2)2차성 오십견

①견관절질환 : 회전근개파열, 석회화건염, 상완이두근장두건염, 변형성 견관절증, 견외상 등, 회전근개파열 (손상)은 가령과 더불어 증가하고, 회전근개의 변성이 생긴다. 또 운동이나 외상으로 인한 기계적 자극도 원인질환에 기인하기도 한다. 임핀지먼트(Impingement)증후나 단열근건의 근력저하를 확인한다.

②어깨 이외의 질환 : 당뇨병, 갑상선기능장애, 심장질환, 폐질환, 신경질환, 경추질환 등.

자연 치유되는 경향이 있지만, 회복까지 최대 2~3년을 요하며, 경도의 가동역제한이 잔존하는 경우도 많다. 보존요법이 기본이다. 급성기에는 동통을 경감하는 것이 우선이며, 쓸데없이 운동요법은 하지 않는다. 회복기에는 적절한 운동을 하게 한다.

【치료목표】 진정, 진통, 감각 · 운동기능의 개선

【처　　방】 1) 운동조정 : 장애반대측의 정섭전사선 (MS6) 의 3/5~4/5, 정방Ⅱ선 (MS9)

2) 감각조정 : 장애반대측의 정섭후사선 (MS7) 의 3/5~4/5

3) 뇌활성화 : 정중선 (MS5)

4) 진정 : 액중선 (MS1)

5) 침구처방 : 경백로(頸百勞), 거골(巨骨), 견우(肩髃), 견료(肩髎), 견정(肩貞), 협백(俠白), 외관(外關), 합곡(合谷)

10. 흉곽출구증후군

상완신경총은 사각근(斜角筋) 사이에서 늑쇄간극을 경유하여 소흉근 아래를 주행한다. 각 부위에서 장애를 받으면, 흉곽출구증후군을 초래한다. 여성에게 호발한다.

임상증상으로 상지의 저림, 팔꿈치의 통증, 어깨통, 상지탈력, 상지냉감, 부종을 나타낸다. 상완내측부에서 전완내측부에 지각장애 등이 나타난다.

치료는 보존적 치료가 기본이며, 스트레칭을 중심으로 하는 재활치료가 유효하다.

【치료목표】 진정, 진통, 감각 · 운동기능의 개선

【처　　방】 1) 운동조정 : 장애반대측의 정섭전사선 (MS6) 의 2/5, 정방Ⅱ선 (MS9)

2) 감각조정 : 장애반대측의 정섭후사선 (MS7) 의 2/5

3) 뇌활성화 : 정중선 (MS5)

4) 진정 : 액중선 (MS1)

5) 침구처방 : 경백로(頸百勞), 극천(極泉), 중부(中府), 운문(雲門), 기호(氣戶), 수삼리(手三里), 외관(外關), 태연(太淵), 양계(陽溪)

5-4 경견완증후군 · 어깨결림

11. 경견완증후군 · 어깨결림

1)경견완증후군 : 경부에서 어깨, 상지에 걸친 동통, 결림, 마비를 나타내는 병태의 총칭이다.

· 정형외과질환에 기인하는 경견완증후군 : ①변형성경추증, 경추성 척수증, 경추성 신경근증, 경추 추간판탈출증, 후종인대골화증, 경추 · 경수종양, 척추염 등의 경추질환. ②견관절주위염 등의 견관절질환. ③흉곽출구증후군.

· 고혈압, 폐질환, 이비과질환에 기인하는 경견완증후군.

· 작업관련 (직업) 에 기인하는 경견완증후군 : 장시간의 데스크작업, 모니터화면의 주시나 타이핑.

2)어깨결림 : 후경부에서 견갑부에 걸친 근육의 경직, 불쾌감, 이화감, 둔통을 말한다. 동일자세로 작업, 경추나 견관절의 기능장애 등에 의해서 승모근에 부하가 가해져서 발생한다. 스트레스와 관련이 깊다.

치료는 보존요법이 기본이며, 진통 · 진정의 약물요법, 물리요법, 적절한 자세의 유지, 운동요법 등이 행해진다.

【치료목표】 진정, 진통, 감각 · 운동기능의 개선

【처　　방】 1) 운동조정 : 장애반대측의 정섭전사선 (MS6) 의 3/5~4/5, 정방Ⅱ선 (MS9)

2) 감각조정 : 장애반대측의 정섭후사선 (MS7) 의 3/5~4/5

3) 뇌활성화 : 정중선 (MS5)

4) 진정 : 액중선 (MS1)

5) 침구처방 : 풍지(風池), 천주(天柱), 경백로(頸百勞), 견정(肩貞), 천종(天宗), 곡지(曲池), 수삼리(手三里), 외관(外關), 합곡(合谷)

5-4 주관절의 질환

12. 주관절의 질환

1)상완골 외측상과염 (백핸드테니스엘보우 · 테니스엘보우) : 상완골외측상과라는 골돌출부는 수관절 및 손가락의 신근군, 회외근(回外筋)의 기시이다. 이들 근군에 미소한 단열이나 변성, 골막의 염증이 생기면, 전완의 회내위로 물건을 집어 들리거나, 수건을 짤 때, 덧문을 닫는 등의 동작시, 상완외측상과를 기시로 하는 신근군의 긴장을 높이기 때문에, 통증이 나타나는 병태이다.

2)상완골 내측상과염 (포핸드테니스엘보우 · 골프엘보우) : 손의 혹사로, 전완굴근군에 만성적 스트레스가 가해지고, 그 근군의 건섬유에 미소한 균열이 생겨서, 섬유화나 육아가 형성됨으로써 발병한다.

3)주부관(肘部管)증후군 : 주부관에서 척골신경이 교액되는 병태. 소지 및 약지 반과 그 이음새부분에 마비감, 수내근의 위축, 소지와 약지에 변형 (갈고리손톱변형), 손가락의 정교한 운동에 장애가 나타난다.

4)요골신경마비 : 상완중앙부의 장애이며, 모지(엄지) · 시지 · 중지의 배측을 포함하는 손등에서 전완의 엄지측 감각에 장애가 생기며, 하수손(下垂手)이 된다.

5)정중신경마비 : 엄지에서 약지엄지측 1/2까지의 손바닥측의 지각장애, 및 수관절의 굴곡, 손가락의 굴곡, 또 모지구근이 장애를 받는다.

6)전골간신경마비 : 엄지와 시지의 제1관절을 굴곡할 수 없게 되지만 (눈물방울 사인 양성), 지각장애는 없다.

7)척골신경마비 : 전완의 척측과 소지 · 약지, 소지측 1/2의 장배측(掌背側)의 지각장애와, 약지, 소지의 굴곡장애, 모지구(母指球)를 제외한 손바닥의 근육이 마비되어, 정교한 운동장애가 생기고 갈고리손톱변형이 된다.

【치료목표】 진정, 진통, 감각 · 운동기능의 개선

【처 방】 1) 운동조정 : 장애반대측의 정섭전사선 (MS6)의 가운데 2/5, 정방Ⅱ선 (MS9)
2) 감각조정 : 장애반대측의 정섭후사선 (MS7)의 아래 2/5
3) 뇌활성화 : 정중선 (MS5)
4) 진정 : 액중선 (MS1)
5) 침구처방 : 곡지(曲池), 수삼리(手三里), 열흠(列欠), 내관(內關), 신문(神門), 합곡(合谷)

5-4 수관절의 증후

13. 수관절의 증후

1)수근관증후군 : 손바닥 (수근관간:手根管幹) 의 정중신경이 교액되는 병태. 여성에게 많다 (특히 출산 후 및 갱년기). 모지구근의 위축 (원숭이 손), 모지대립기능장애, 팔렌테스트, 티넬사인 양성이 된다.

2)기용관증후군 : 기용관은 척골신경관, 손바닥의 척골신경이 교액되는 병태. 소지, 환지(環指)의 소지측에 마비, 지각장애, 손의 정교한 운동장애, 척골신경이 지배하는 근육의 위축, 플로맨사인 양성이 된다.

3)드케르뱅병 : 수관절요측에 보이는 요골경상돌기부의 협착성 건초염. 동통, 종창, 국소에 열감, 모지의 외전에 통증, 핀케르슈타인 테스트 양성이 된다.

【치료목표】 진정, 진통, 감각 · 운동기능의 개선

【처　방】 1) 운동조정 : 장애반대측의 정섭전사선 (MS6)의 가운데 2/5, 정방 II 선 (MS9)

2) 감각조정 : 장애반대측의 정섭후사선 (MS7)의 아래 2/5

3) 뇌활성화 : 정중선 (MS5)

4) 진정 : 액중선 (MS1)

5) 침구처방 : 소해(小海), 소해(少海), 곡지(曲池), 내관(內關), 대릉(大陵), 양계(陽溪), 합곡(合谷), 후계(後溪)

5-5 비뇨기계질환의 두침요법

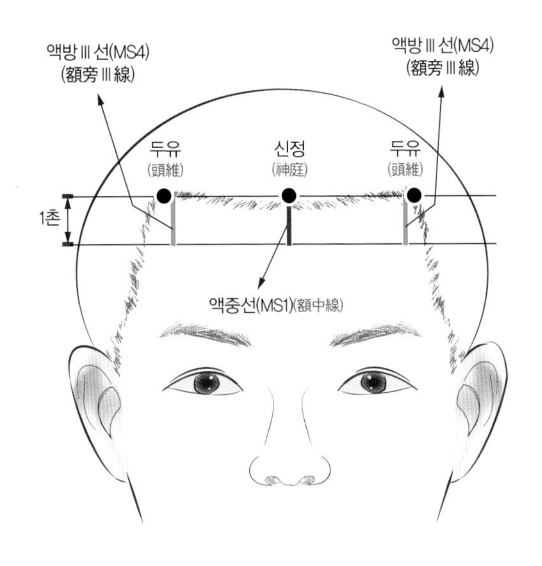

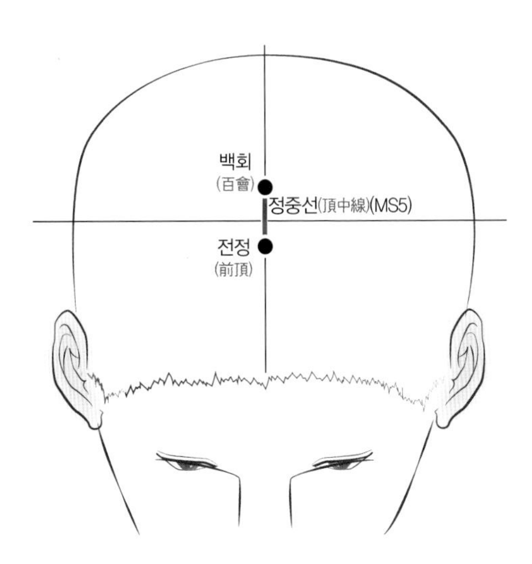

원인질환의 치료보다 동통, 배뇨장애 등의 증상 완화나 심신케어에 초점을 맞춘다.

● **치료부위**

① 전정부에 있는 액중선(額中線)(MS1)·액방Ⅲ선(額旁Ⅲ線)(MS4). ② 두정부에 있는 정중선(頂中線)(MS5)을 기본으로 하고 있다.

5-5 신 · 요관결석/방광염

1. 신 · 요관결석

신 · 요관결석은 식생활이나 생활양식의 구미화, 고령자인구의 증가 및 진단기술의 향상으로, 그 이환률이 증가하고, 재발률도 높다. 임상증상으로 요배부 · 측복부의 격통 (선통발작), 혈뇨, 빈뇨 · 요의절박감 · 잔뇨감 등의 방광염 같은 증상을 수반한다. 감염이 합병되면 신우신염으로 인한 발열이 나타난다.

【치료목표】 진정, 진통, 비뇨기능조정

【처　　방】 1) 진정, 진통 : 액중선 (MS1)

2) 기능조정 : 액방Ⅲ선 (MS4), 정섭후사선 (MS7)의 위 1/5

3) 뇌활성화 : 정중선 (MS5)

4) 침구처방 : 기해(氣海), 신유(腎兪), 지실(志室), 삼초유(三焦兪), 방광유(膀胱　兪), 팔료(八髎), 행간(行間), 태계(太溪)

2. 방광염

이외요도구에서 역행성으로 방광에 침입한 세균에 의해서 일으키는 비특이적 감염증이다.

1)급성방광염 : 성적 활동기 여성에게 호발한다. 임상증상으로 배뇨통, 빈뇨, 잔뇨감, 혈뇨, 감염을 수반하는 경우에 발열이 나타난다.

2)만성복잡성방광염 : 고령자에게 많다. 전립선비대증, 신경인성방광, 방광암, 및 요도유치카테터 등의 기염균에 의해서 일으키게 된다. 초기에는 배뇨통 등의 급성증상이 보이며, 급성악화되면 급성신우신염, 급성전립선염(남성), 부고환염(남성) 이 발병하기도 한다.

【치료목표】 진정, 진통, 비뇨기능조정

【처　　방】 1) 진정, 진통 : 액중선 (MS1)

2) 기능조정 : 액방Ⅲ선 (MS4), 정섭후사선 (MS7)의 1/5

3) 뇌활성화 : 정중선 (MS5)

4) 침구처방 : 삼초유(三焦兪), 방광유(膀胱兪), 팔료(八髎), 삼음교(三陰交), 행간(行間), 태계(太溪)

5-5 신경인성 방광/전립선염증후군

3. 신경인성 방광

뇌혈관장애, 파킨슨병, 치매, 및 뇌간부의 교(橋)에서 선수 (L2-4) 까지의 장애 (척수손상), 다발성경화증, 선수(仙髓) 이하의 척수장애, 말초신경장애 등으로, 방광이나 요도를 지배하는 신경계에 이상을 나타내는 하부요로기능장애이다. 축뇨증상이나 배뇨증상이 나타난다.

【치료목표】 진정, 진통, 비뇨기능조정
【처　　방】 1) 진정, 진통 : 액중선 (MS1)
2) 기능조정 : 액방Ⅲ선 (MS4), 정섭후사선 (MS7)의 1/5
3) 뇌활성화 : 정중선 (MS5)
4) 침구처방 : 삼초유(三焦兪), 방광유(膀胱兪), 백환유(白環兪), 팔료(八髎), 삼음교(三陰交), 행간(行間), 태계(太溪)

4. 전립선염증후군

주로 전립선염에 기인하는, 빈뇨, 배뇨시 통증, 잔뇨감, 배뇨곤란 및 회음부 불쾌감 등의 증후군이다. 최근에는 전립선에 국한되지 않고, 방광, 요도, 신경, 및 근육을 포함한 남성골반통증후군이라고 보고 있다. 만성전립선염은 병태가 복잡하고, 증상의 완화와 악화를 반복하기 때문에 장시간의 치료를 요한다.

【치료목표】 진정, 진통, 비뇨기능조정
【처　　방】 1) 진정, 진통 : 액중선 (MS1)
2) 기능조정 : 액방Ⅲ선 (MS4)
3) 뇌활성화 : 정중선 (MS5)
4) 침구처방 : 기해(氣海), 관원(關元), 곡골(曲骨), 방광유(膀胱兪), 백환유(白環兪), 팔료(八髎), 삼음교(三陰交), 행간(行間), 태계(太溪)

5-5 배뇨장애/신투석의 케어

5. 배뇨장애

축뇨장애와 배뇨장애의 2가지가 있다. 요실금은 축뇨장애에 포함된다. 배뇨장애는 정도에 따라서, 배뇨곤란, 잔뇨, 요폐 등으로 나뉜다. 원인질환으로, 남성은 전립선비대, 전립선암 등의 전립선질환이 가장 많으며, 요도협착이 다음 순이다. 여성은 외요도구 협착, 자궁탈출이나 방광류(膀胱瘤)가 많다.

배뇨근기능저하에서는 당뇨병, 골반내수술후, 신경인성 방광 등에 의한 것이 많다.

축뇨장애에는 하부요로의 염증, 중추신경장애, 신경인성방광이 많다. 여성에게는 요실, 절박성요실금과 복압성요실금을 흔히 볼 수 있다.

신경성빈뇨는 심인성인 것으로, 스트레스에 의해서 배뇨중추가 자극을 받고, 방광의 기능장애로 빈뇨, 잔뇨감을 일으키는 병태이다.

이 병태들에 관해서, 원인질환의 치료, 생활습관 지도, 행동요법 및 약물요법을 한다.

【치료목표】 비뇨기능조정
【처　　방】 1) 진정 : 액중선 (MS1)
2) 기능조정 : 액방Ⅲ선 (MS4), 정섭후사선 (MS7)의 1/5
3) 뇌활성화 : 정중선 (MS5)
4) 침구처방 : 신유(腎兪), 삼초유(三焦兪), 방광유(膀胱兪), 백환유(白環兪), 팔료(八髎), 삼음교(三陰交), 태계(太溪)

6. 신투석의 케어

신투석 중에 일어나기 쉬운 증상으로 전신탈력감, 구토, 두통, 혈압저하 및 손발의 경련을 들 수 있다. 또 신투석에 수반하여, 고혈압, 저혈압, 빈혈, 가려움증, 심부전, 감염증, 뇌혈관장애 및 골 · 관절장애, 정신증상 등, 여러 가지 합병증도 나타난다. 두침요법은 진정, 진통, 혈압조정, 가려움증의 경감 등, 신투석에 수반하는 합병증의 경감, 케어를 돕는다.

【치료목표】 비뇨기능조정, 심신케어, 가려움증의 완화
【처　　방】 1) 진정, 진통 : 액중선 (MS1)
2) 기능조정 · 심신케어 · 가려움증의 완화 : 액방Ⅲ선 (MS4), 정섭후사선(MS7)의 1/5
3) 뇌활성화 : 정중선 (MS5)
4) 침구처방 : 풍지(風池), 풍문(風門), 곡지(曲池), 혈해(血海), 신유(腎兪), 방광유(膀胱兪), 삼음교(三陰交), 태계(太溪)

5-6 산부인과질환의 두침요법

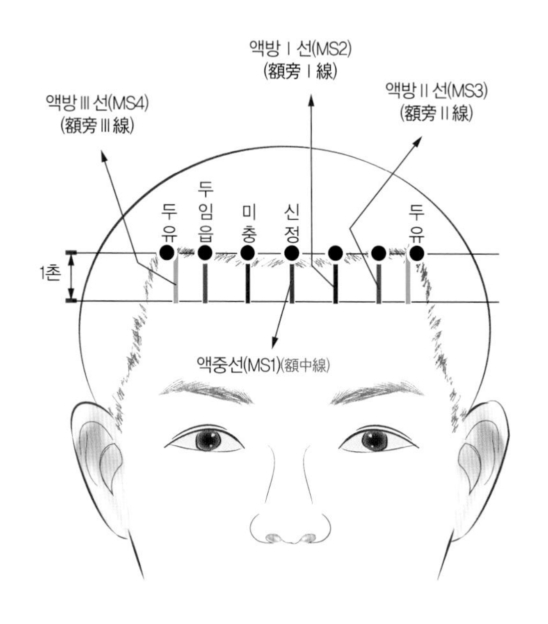

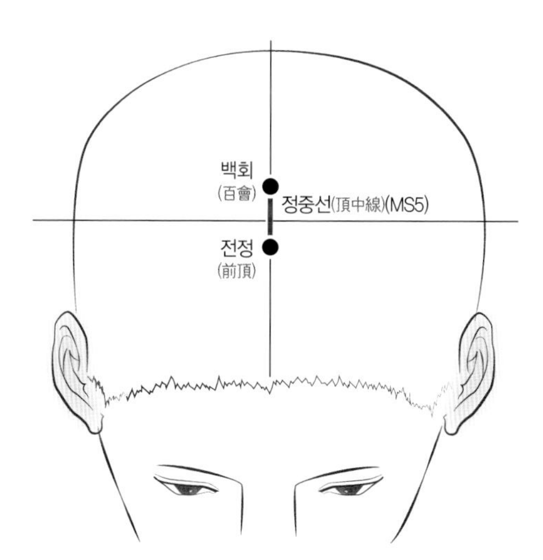

원인질환의 치료보다 그 증상의 완화나 심신케어에 초점을 맞춘다.

● **치료부위**

①전정부에 있는 액중선(額中線)(MS1) · 액방 Ⅰ 선(額旁 Ⅰ 線)(MS2) · 액방 Ⅱ 선(額旁 Ⅱ 線)(MS3) · 액방 Ⅲ 선(額旁 Ⅲ 線)(MS4). ②두정부에 있는 정중선(頂中線)(MS5) 을 기본으로 하고 있다.

5-6 월경전증후군/월경이상 · 월경곤란증

1. 월경전증후군

월경전긴장증은 여성의 90%이상이 가지는 생리전의 불쾌한 증상이다. 황체기(黃体期)인 생리 2주전부터 시작되어, 생리의 개시와 함께 소실되는 것이 특징이다. 억울, 잦은 분노, 초조, 불안, 혼란 등의 정신증상이나 유방통, 복부팽만감, 두통, 수족의 부종 등의 신체증상이 나타난다. 과거 3개월이상, 위의 증상이 연속되는 경우에 월경전긴장증이라고 진단한다. 또 정신증상을 주증상으로 하는 경우는 월경전 불쾌기분장애라고도 한다.

【치료목표】 진정, 진통, 기능조정
【처　　방】 1) 진정, 진통 : 액중선 (MS1)
2) 기능조정 : 액방Ⅲ선 (MS4)
3) 뇌활성화 : 정중선 (MS5)
4) 침구처방 : 관원(關元), 중극(中極), 자궁(子宮), 백환유(白環兪), 팔료(八髎), 삼음교(三陰交), 행간(行間), 태계(太溪)

2. 월경이상 · 월경곤란증

1)월경이상
· 월경 개시와 종지(終止)의 이상 : 사춘기조 발병, 원발성무월경, 조발폐경이 있지만, 이 증상들은 속발성무월경에 비하면 빈도가 훨씬 낮다.
· 주기의 이상 : 주기가 단축되는 빈발월경과 연장하는 희발월경 (3개월이내), 무월경 (3개월이상)이 있다. 주기의 이상은 난소기능이 불안정한 시기인 사춘기나 갱년기에 많다. 이것들로 인한 기능성출혈에서는 종종 통제가 어려운 출혈이 지속되기도 한다.
· 경혈량(經血量)의 이상 : 과다월경이 중요하며, 과소월경은 임상적으로 그다지 문제가 되지 않는다. 과다월경의 대표적인 질환은 자궁근종이며, 중증 과다월경에서는 빈혈을 초래한다.

2)월경곤란증 : 빈도가 높으며 임상적으로 중요한 것은 자궁근종, 자궁내막증, 기능성 월경곤란증 등이다. 기능성 월경곤란증에서는 증상이 나타나지만, 기질성 질환은 확인되지 않는다.

【치료목표】 진정, 진통, 기능조정
【처　　방】 1) 진정, 진통 : 정중선 (MS5)
2) 기능조정 : 액방Ⅲ선 (MS4)
3) 침구처방 : 관원(關元), 중극(中極), 자궁(子宮), 백환유(白環兪), 팔료(八髎), 혈해(血海), 지기(地機), 삼음교(三陰交), 태계(太溪)

5-6 대하 · 외음부 가려움증 · 외음통/유방통

3. 대하 · 외음부 가려움증 · 외음통

대하 · 외음부 가려움증 · 외음통은 각각 단독으로 나타나는 경우도 있지만, 서로 병발하는 경우도 많다.

대하의 이상은 양적변화뿐 아니라, 그 성상에 따라서 간디다질염, 트리코모나스질염 및 노인성질염의 진단이 중요하다.

외음부의 가려움증은 각종 질염에서 속발적으로 발병하는 것이 많지만, 속옷이나 목욕제 등이 원인이 되어 발생하는 알레르기성 외음염도 있다. 칸디다성 외음질염은 특히 가려움증이 심하다.

외음통은 외음염에 수반하여 나타나는 경우가 많다. 연쇄구균, 포도구균, 대장균 등에 의한 외음염(단순성 외음염)에서는 동통 외에 외음에서 발적, 종창이 확인된다.

【치료목표】 진정, 진통, 기능조정

【처 방】 1) 진정, 진통 : 액중선 (MS1)
2) 기능조정 : 액방Ⅲ선 (MS4), 정섭후사선 (MS7)의 위 2/5
3) 뇌활성화 : 정중선 (MS5)
4) 침구처방 : 관원(關元), 중극(中極), 자궁(子宮), 백환유(白環兪), 팔료(八髎), 삼음교(三陰交), 행간(行間), 태계(太溪)

4. 유방통

유방은 여성호르몬의 표적장기이다. 유방통은 국소유선조직의 기질적 변화에 의하거나, 전신질환, 심인성 증상의 하나이기도 하다.

【치료목표】 진정, 진통, 기능조정

【처 방】 1) 진정, 진통 : 액중선 (MS1), 액방Ⅱ선 (MS3)
2) 기능조정 : 액방Ⅲ선 (MS4)
3) 뇌활성화 : 정중선 (MS5)
4) 침구처방 : 내관(內關), 기해(氣海), 관원(關元), 삼음교(三陰交), 행간(行間), 태계(太溪), 간유(肝兪), 신유(腎兪)

5. 임신오조(妊娠惡阻)·임신요통·좌골신경통

1)임신오조(妊娠惡阻) : 임신초기에 보이는, 오심, 구토, 식욕부진, 이른바 입덧은 자연히 경감되는 경우가 많지만, 음식섭취가 어려워지고, 영양장애, 대사장애를 일으키기도 한다. 중증화되어, 치료를 필요로 하는 상태를 임신오조(妊娠惡阻)라고 한다. 임신으로 생긴 내분비·대사계 변화에 대한 적응부전이라고 생각되며, 증상의 악화에는 생활환경의 스트레스 등, 심인성요소도 관여한다.

2)임신중독증 : 임신에 나타나는 고혈압, 단백뇨, 부종 중 하나나 두 가지 이상이며, 그 증상이 단순한 임신우발합병증에 의한 것이 아닌 병태.

3)임신요통과 좌골신경통 : 임신 중에 나타나는 요통이나 좌골신경통.

【치료목표】 진정, 진통, 기능조정

【처　　방】 1) 진정, 진통 : 액중선 (MS1)
2) 기능조정 : 액방Ⅲ선 (MS4), 정섭후사선 (MS7)
3) 뇌활성화 : 정중선 (MS5)
4) 침구처방 : 신유(腎兪), 백환유(白環兪), 팔료(八髎), 환도(環跳), 양릉천(陽陵泉), 삼음교(三陰交), 행간(行間), 태계(太溪)

6. 갱년기장애

50대 폐경전후의 여성에게 나타나는 다양한 부정추소, 에스트로겐이 갑자기 감소하는 것, 환경인자, 정신인자 등에 의한다.

· 혈관운동신경계증상 : 얼굴이 화끈거린다, 땀을 많이 흘린다, 허리나 손발이 차갑다, 숨이 차다, 심장이 두근거린다.
· 정신신경계증상 : 초조하다, 기분이 가라앉는다, 잠이 잘 안 온다, 잠이 설다, 현기증, 구역질.
· 운동신경계증상 : 어깨결림, 권태감, 요통, 손발의 통증, 마비.

【치료목표】 진정, 기능조정

【처　　방】 1) 진정 : 액중선 (MS1)
2) 기능조정 : 액방Ⅰ선 (MS2), 액방Ⅱ선 (MS3), 액방Ⅲ선 (MS4)
3) 뇌활성화 : 정중선 (MS5)
4) 침구처방 : 관원(關元), 중극(中極), 자궁(子宮), 백환유(白環兪), 팔료(八髎), 삼음교(三陰交), 태충(太衝), 태계(太溪), 간유(肝兪), 신유(腎兪)

5-7 피부질환의 두침요법

원인질환의 치료보다 가려움증 치료를 주로 하며, 심신케어에 초점을 맞춘다.

● **치료부위**

① 전두부에 있는 액중선(額中線)(MS1) · 액방Ⅰ선(額旁Ⅰ線)(MS2) · 액방Ⅱ선(額旁Ⅱ線)(MS3) · 액방Ⅲ선(額旁Ⅲ線)(MS4). ② 정중선(頂中線)(MS5), ③ 정섭후사선(頂顳後斜線)(MS7) 을 기본으로 하고 있다.

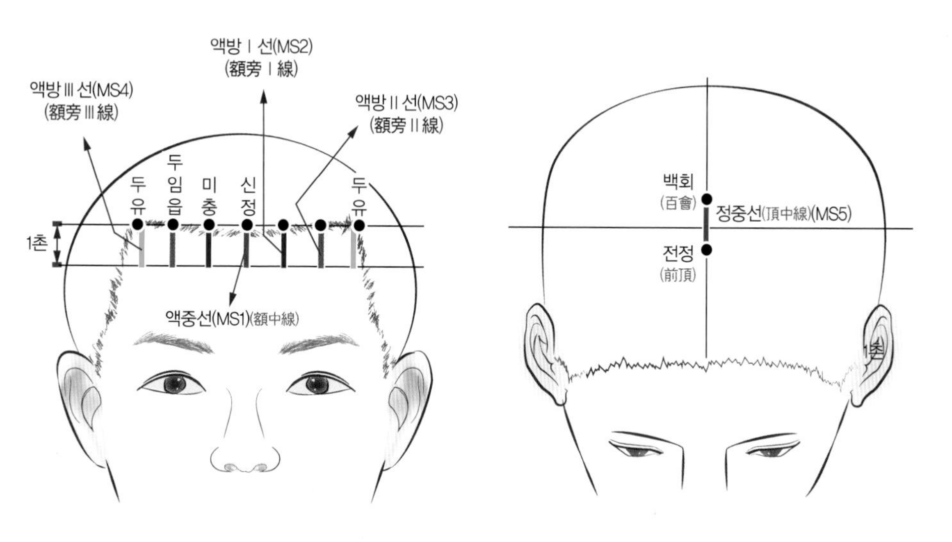

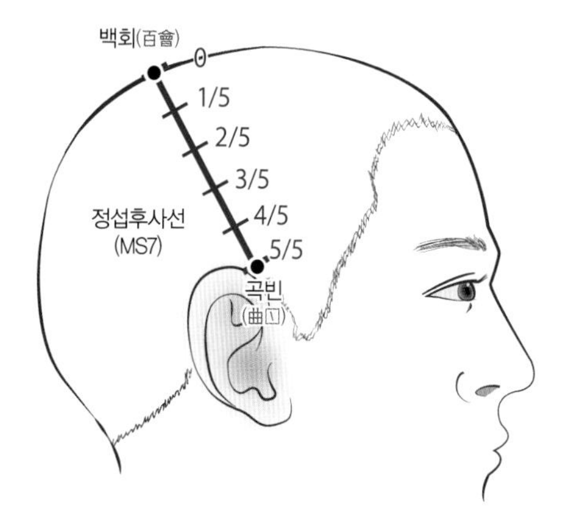

5-7 아토피성 피부염/접촉성피부염/피부가려움증

1. 아토피성 피부염

환경이나 음식 등의 알레르기요인과 피부의 바리어기능장애로 인한 피부건조 (비알레르기요인) 에 의해서, 가려움증, 특징적인 피진, 만성 반복성경과 (유아는 2개월이상, 그 밖에는 6개월이상) 을 주증상으로 하는 병태이다. 아토피소인이라 불리는 유전적 요인에 여러 가지 환경요인이 추가되고, 완화와 악화를 반복한다. 만성반복성 경과에 따라서 억울경향, 불안 등, 정신증상도 수반한다.

【치료목표】 가려움증의 완화, 심신케어, 기능조정
【처　　방】 1) 가려움증의 완화 : 정방 I 선(MS8), 정방 II 선(MS9)
2) 기능조정 : 정섭후사선 (MS7)
3) 심신케어 : 정중선 (MS5), 액중선 (MS1)
4) 침구처방 : 대추(大椎), 곡지(曲池), 격유(膈俞), 혈해(血海), 삼음교(三陰交), 족삼리(足三里), 태계(太溪), 신유(腎俞)

2. 접촉성피부염

외래성 자극물질이나 알레르겐이 피부에 접촉함으로써 발병한다. 습진성 염증반응을 특징으로 한다. 자극성 피부염과 알레르기성 접촉성피부염으로 나뉜다. 자극물질은 여러 종류이며, 일용품, 화장품, 금속, 약제 및 직업성 물질 등이 자극성피부염의 원인이 될 수 있다. 원인의 해명에는 패치테스트를 이용한다.

【치료목표】 가려움증의 완화, 심신케어, 기능조정
【처　　방】 1) 가려움증의 완화 : 정방 I 선(MS8), 정방 II 선(MS9)
2) 기능조정 : 정섭후사선 (MS7)
3) 심신케어 : 정중선 (MS5), 액중선 (MS1)
4) 침구처방 : 대추(大椎), 곡지(曲池), 격유(膈俞), 혈해(血海), 삼음교(三陰交), 족삼리(足三里), 태계(太溪), 신유(腎俞)

3. 피부가려움증

가려움증을 주증상으로 하는 병태이다. 소파(搔破)로 인한 소파흔적, 자반(紫斑), 미란(糜爛)을 수반한다. 소파의 반복으로 색소침착, 습진화를 초래한다. 국한성과 범발성으로 크게 나뉜다. 국한성은 외음부와 항문주위에 많지만, 외이도, 안검, 비강에 국한되는 경우도 있다. 범발성은 피부 건조가 원인인 경우가 많고, 그 밖에 기초질환 (신부전, 간담도질환, 당뇨병, 갑상선질환, 혈액질환, 악성종양 등), 임신, 약제, 식품, 향신료, 주류, 환경인자, 심인성이 고려된다.

【치료목표】 가려움증의 완화, 심신케어, 기능조정
【처　　방】 1) 가려움증의 완화 : 정방 I 선(MS8), 정방 II 선(MS9), 정방 III 선 (MS4), 침상정중선 (MS12)
2) 기능조정 : 정섭후사선 (MS7)
3) 심신케어 : 정중선 (MS5), 액중선 (MS1)
4) 침구처방 : 대추(大椎), 곡지(曲池), 격유(膈俞), 혈해(血海), 팔료(八髎), 삼음교(三陰交), 족삼리(足三里), 태계(太溪), 신유(腎俞)

4. 두드러기

가려움증을 수반하는 팽진 (홍반) 과 국한성 부종을 특징으로 한다. 팽진은 일과성으로, 통상 몇 시간, 늦어도 1일정도에 소멸된다. 특정한 항원을 동정할 수 있는 경우는 적지만, 직접적 원인으로 외래항원, 물리적 자극, 발한자극, 음식, 약제, 운동 등이 고려된다. 두침요법은 가려움증의 완화, 두드러기의 조기완화를 보완적으로 돕는다.

【치료목표】 가려움증의 완화, 심신케어, 기능조정

【처 방】 1) 가려움증의 완화 : 정방 I 선 (MS8), 정방 II 선 (MS9)
2) 기능조정 : 정섭후사선 (MS7)
3) 심신케어 : 정중선 (MS5), 액중선 (MS1)
4) 침구처방 : 대추(大椎), 곡지(曲池), 격유(膈俞), 혈해(血海), 삼음교(三陰交), 족삼리(足三里), 태계(太溪), 신유(腎俞)

5. 벌레물림 · 스트로플스에 의한 양진(痒疹)

모기 등의 곤충류에 물리면, 홍반, 팽진, 홍반 및 구진, 수포가 발생한다. 독성이 강하고 감염증을 일으키는 점에 유의해야 한다. 상세한 문진을 한다. 임상증상은 피진의 발현부위, 성상에 따라서 다르다. 스트로플스는 소아의 충자증(蟲刺症)으로 생기는 병태이다. 급성양진은 가려움증이 심하고 고립성 구진이나 결절(結節)을 특징으로 한다. 만성양진은 벌레물림에 기인하여 생기는 것 외에, 아토피소인이나 내장질환 (간장애, 신장애, 당뇨병, 악성종양 등)에 수반하여 생기기도 한다.

피진에 대해서는 스테로이드외용제를 사용하며, 염증이 심한 경우는 항히스타민제, 스테로이드내복제를 병용한다. 2차감염이 병발한 경우는 항균제를 처방한다.

【치료목표】 가려움증의 완화, 심신케어, 기능조정

【처 방】 1) 가려움증의 완화 : 정방 I 선 (MS8), 정방 II 선 (MS9)
2) 기능조정 : 정섭후사선 (MS7)
3) 심신케어 : 정중선 (MS5), 액중선 (MS1)
4) 침구처방 : 대추(大椎), 곡지(曲池), 격유(膈俞), 혈해(血海), 삼음교(三陰交), 족삼리(足三里), 태계(太溪), 신유(腎俞)

6. 약진

가약제나 건강식품에 기인하는 피진이다. 비알레르기성과 알레르기성으로 분류하며, T세포가 관여하는 것이 많다.

모든 약제에는 약진을 일으킬 가능성이 있지만, 동일약제에 의한 약진이라도, 중증도나 병형에는 개체차가 있다. 중독성 표피괴사증 및 약제성 과민증 증후군 등의 중증형은 두침요법의 비적응증이 된다.

【치료목표】 진정, 진통, 심신케어, 기능조정

【처 방】 1) 진정, 진통 : 액중선 (MS1), 정중선 (MS5)
2) 기능조정 : 정섭후사선 (MS7), 정방 I 선(MS8), 정방 II 선 (MS9)
3) 침구처방 : 내관(內關), 합곡(合谷), 격유(膈俞), 혈해(血海), 삼음교(三陰交), 족삼리(足三里), 행간(行間)

7. 단순포진 · 대상포진

1)단순포진 : 단순헤르페스바이러스 (HSV) 에 의한, 피부나 점막에 동통을 수반하는 소수포, 및 미란성 병태이다. 원인이 구순헤르페스 (HSV-1), 성기헤르페스 (HSV-2) 인가에 따라서 증상이 나타나는 부위가 다르다. 초기 감염으로 발병하는 케이스는 적지만, 초기 감염 후에 단순헤르페스바이러스는 신경절에 잠복 감염되어, 자외선, 정신적 스트레스, 피로 및 외상 등을 원인으로 증상이 나타나며, 위화감, 가려움증, 균열감, 경도의 동통 등의 전구증상을 나타낸 후, 구순, 또는 음부 등에서 국한된 소수포가 확인된다.

2)대상포진 : 수두이환 후에 2차신경 또는 척수후근신경절에 침입한 수두대상포진바이러스가 노령이나 면역저하 등의 원인으로 발병한다. 그 지배신경영역에 따른 격통을 주증으로 하며, 홍반, 소수포, 피진은 미란, 궤양을 형성하며, 점차 가피화한다. 안면신경마비나 이명, 난청, 현기증 등의 내이장애, 3차신경 제1지영역의 대상포진에 의한 안(眼)합병증, 3개월이상에 걸쳐서 완고한 동통이 지속되는 대상포진후신경통 등의 합병증이 나타난다.

【치료목표】 진정, 진통, 심신케어, 기능조정

【처　방】 1) 진정, 진통 : 액중선 (MS1), 정중선 (MS5)

2) 기능조정 : 정섭후사선 (MS7), 액방Ⅱ선 (MS3)

3) 침구처방 : 내관(內關), 합곡(合谷), 격유(膈兪), 혈해(血海), 삼음교(三陰交), 족삼리(足三里), 행간(行間)

8. 다한증 · 한포(이한성습진) · 한진(땀띠)

1)다한증 : 전신성과 국한성으로 나뉜다. 특히 손바닥이나 발바닥, 안와에 국한하는 다한증이 임상적으로 중요하다. 원인 불명이며, 사춘기에 발병한다. 온열이나 정신적 스트레스에 의해서 대량의 발한이 일어나며, 일상생활에 지장을 초래한다. 속발성전신성 다한증에는 결핵 등의 감염증, 갑상선기능항진증, 갈색세포종 등의 내분비대사이상, 신경질환이나 약물성 전신성 다한증을 들 수 있다. 중추신경장애에서는 편측성 다한증이 나타난다.

2)한포(이한성습진) : 땀으로 인한 자극에 의해서, 손바닥, 손가락 사이 및 발바닥에 경도의 가려움증을 수반한 수포가 생기는 병태이며, 이한성습진이라고도 한다.

3)땀띠(한진) : 고온다습한 환경하에서 급격히 발한이 생김으로써, 투명한 수포(수정성 한진), 홍색한진(염증, 가려움증, 습진화)과 심재성한진이 나타나는 병태이다.

고온다습한 환경하에서 일하는 노동자나 다한증인 사람, 비만자의 체간(体幹), 액와, 서경부 등에 호발한다. 두침요법은 진정, 정신신경의 기능조정을 통해서 보완적으로 돕는다.

【치료목표】 가려움증의 완화, 심신케어, 기능조정

【처　방】 1) 가려움증의 완화 : 정방Ⅰ선 (MS8), 정방Ⅱ선 (MS9), 정방Ⅲ선 (MS4)

2) 기능조정 : 정섭후사선 (MS7)

3) 침구처방 : 대추(大椎), 곡지(曲池), 합곡(合谷), 격유(膈兪), 혈해(血海), 삼음교(三陰交), 족삼리(足三里), 태계(太溪), 신유(腎兪)

5-7 베체트병/탈모증

9. 베체트병

피부, 점막, 눈을 중심으로 하며, ①구강점막의 재발성 아프터성궤양, ②피부증상 (결절성홍반, 좌창 · 모낭염양 피진, 피하의 혈전성정맥염), ③정형적 안증상 (홍채모양체염, 망막포도막염), ④외음부궤양을 주증상으로 한다. 여러 장기에 급성염증을 반복하며, 만성으로 경과하는 원인불명의 난치성질환이다.

【치료목표】 임상증상의 완화, 심신케어, 기능조정

【처　　방】 1) 임상증상의 완화 : 액방Ⅲ선 (MS4), 침상정중선 (MS12), 정섭후사선(MS7)의 아래 4/5~5/5

2) 심신케어 : 정중선 (MS5), 액중선 (MS1)

3) 침구처방 : 정명(睛明), 곡지(曲池), 격유(膈兪), 혈해(血海), 팔료(八髎), 삼음교(三陰交), 족삼리(足三里), 태계(太溪), 신유(腎兪)

10. 탈모증

갑자기 유원형(類圓形) 탈모소가 생기는 병태이다. 단발형 · 다발형 (통상형), 전두형, 범발형으로 나뉜다. 세포상해성 T세포에 의한 자기면역반응에 의한 것이 아닌가 생각된다. 유전적소인, 알레르기소인도 관여하고 있다. 자연히 치유되는 경향이 있지만, 재발률은 40%라고 한다. 사행성(蛇行性) 탈모증은 소아에게 후발하며, 난치성인 경우가 많다. 또 소아의 약 반수에 아토피성 피부염이 합병된다.

【치료목표】 뇌기능조정, 발모촉진

【처　　방】 1) 뇌기능조정 : 액중선 (MS1), 정중선 (MS5)

2) 발모촉진 : 정섭후사선 (MS7)의 아래 5/5

3) 침구처방 : 풍지(風池), 곡지(曲池), 합곡(合谷), 격유(膈兪), 혈해(血海), 삼음교(三陰交), 태계(太溪), 신유(腎兪)

5-8 안과 · 이비인후과질환의 두침요법

원인질환의 치료보다 그 증상의 완화나 심신케어에 초점을 맞춘다.

치료부위

①후두부에 있는 침상정중선(枕上正中線)(MS12) · 침상방선(枕上旁線)(MS13) · 침하방선(枕下旁線)(MS14). ②측두부에 있는 섭전선(顳前線)(MS10) · 섭후선(顳後線)(MS11). ③전두부에 있는 액중선(額中線)(MS1). ④정중선(頂中線)(MS5) 을 기본으로 하고 있다.

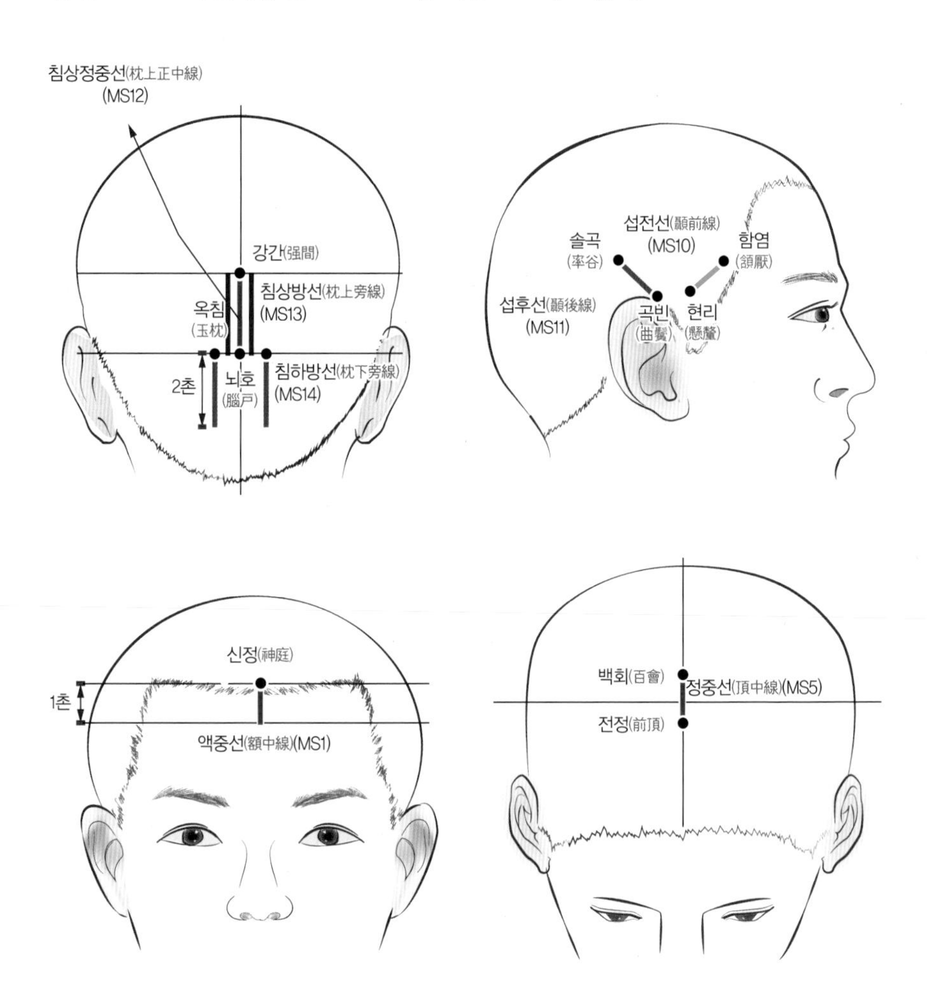

5-8 안정피로/안구건조증(dry eye)

1. 안정피로

정의는 어렵지만, 눈의 혹사로 일으키게 되는 눈 · 신체적 피로를 특징으로 하는 부정추소이다. 안통, 충혈, 유루(流淚), 안부 · 비근부의 중압감을 안증상이라고 하며, 두통, 오심, 구토, 현기증, 어깨결림 등의 신체증상을 수반한다.

임상에서는 ①증후성 안정피로, ②근성 안정피로(사시, 외안근마비, 폭주(輻輳)이상), ③조절성 안정피로 (원시, 난시, 노시, 조절경련, 조절쇠약, 안경 · 콘텍트렌즈에 의한 원시의 저교정이나 근시의 과교정, VDT작업) 및 ④신경성 안정피로 (심신증, 우울증, 신경증) 로 분류된다.

【치료목표】 진정, 심신케어, 기능조정

【처　　방】 1) 안증상 : 침상정중선 (MS12), 침상방선 (MS13), 침하방선 (MS14), 정섭후사선 (MS7) 의 아래 4/5~5/5

2) 진정, 심신케어 : 액중선 (MS1), 정중선 (MS5)

3) 침구처방 : 정명(睛明), 어요(魚腰), 양백(陽白), 승읍(承泣), 내관(內關), 합곡(合谷), 삼음교(三陰交), 족삼리(足三里), 태충(太衝)

2. 안구건조증(dry eye)

눈물의 감소로 눈이 건조한 병태이다. 눈의 통증 · 가려움증 · 충혈 등을 주증상으로 하며, 시력의 저하를 초래하기도 한다. 원인은 여러 가지이며 에어컨의 보급으로 실내가 장시간 건조하고, VDT혹사 (컴퓨터나 스마트폰 등), 및 콘텍트렌즈의 사용이 원인 중의 하나이다.

【치료목표】 진정, 심신케어, 기능조정

【처　　방】 1) 안증상 : 침상정중선 (MS12), 침상방선 (MS13), 침하방선 (MS14), 정섭후사선 (MS7) 의 아래 4/5~5/5

2) 진정, 심신케어 : 액중선 (MS1), 정중선 (MS5)

3) 침구처방 : 정명(睛明), 어요(魚腰), 양백(陽白), 승읍(承泣), 내관(內關), 합곡(合谷), 삼음교(三陰交), 족삼리(足三里), 태충(太衝)

3. 안검하수

상안검거근의 이상에 의한 병태이다. 진성(협의) 안검하수와 가성 안검하수의 2가지로 나뉜다.

1)진성 (협의) 안검하수 : ①선천성, ②건막성 (가령, 콘텍트렌즈 장기착용, 외상 등으로 건막이 이완 또는 단열), ③동안신경마비, ④근성 (중증 근무력증, 근디스트로피, 진행성 외안근마비) 등을 들 수 있다.

2)가성 안검하수 : ①상안검피부이완증, ②안면신경마비, ③안검경련, 개검실행(開瞼失行) : 개검이 어려움, ④안검 · 안와의 종양이나 염증, ⑤외상성 질환 등을 들 수 있다.

【치료목표】 기능조정, 증상의 완화

【처 방】 1) 안증상 : 침상정중선 (MS12), 침상방선 (MS13), 침하방선 (MS14), 정섭후사선 (MS7) 의 아래 4/5~5/5

2) 침구처방 : 정명(睛明), 어요(魚腰), 양백(陽白), 사죽공(絲竹空), 동자료(瞳子髎), 합곡(合谷), 양릉천(陽陵泉), 족삼리(足三里)

4. 그 밖의 안증후

1)각결막염 : 감염증 (바이러스, 세균, 클라미디아), 알레르기 (화분증, 춘계 카타르), 눈물이나 안표면의 이상 (안구건조증) 등의 여러 가지 원인에 의해서 일어난다. 안지, 충혈, 이물감, 가려움증, 안통 등이 나타난다.

2)맥립종 (다래끼) : 안검피부 또는 결막의 압통을 수반하는 급성발적, 종창, 농점(膿点)의 화농성 염증.

3)가성근시 : 위근시, 학교근시라고도 한다. 나쁜 자세로 독서, VDT작업이나 스마트폰 등의 과도한 근접작업을 장시간 속행하면, 눈의 조절을 담당하는 모양체근의 긴장이 풀리지 않아서, 수정체의 굴절력 증가가 지속된다. 이 상태를 가성근시라고 한다. 조기에 원인을 개선하면, 상당히 높은 확률로 자연치유를 기대할 수 있다.

【치료목표】 증상의 완화

【처 방】 1) 안증상 : 침상정중선 (MS12), 침상방선 (MS13), 침하방선 (MS14), 정섭후사선 (MS7) 의 아래 4/5~5/5

2) 침구처방 : 정명(睛明), 어요(魚腰), 양백(陽白), 승읍(承泣), 내관(內關), 합곡(合谷), 삼음교(三陰交), 족삼리(足三里), 태충(太衝)

5-8 인후증후(咽喉症候)/이명(耳鳴) · 난청

5. 인후증후(咽喉症候)

1)급성 상인두염 : 감기나 급성비염 등의 바이러스감염, 또는 이것에 속발하는 세균감염으로 발병하는 경우가 많다. 인두통, 이방산통(耳放散痛), 인두건조감이 나타난다.

2)만성 상인두염 : 만성 부비강질환, 비중격만곡증 등으로 인한 비루, 후비루의 상인두점막자극, 비강형태이상을 원인으로 하는 기류이상에 의한 만성자극으로 발병하는 경우가 많지만, 대기오염, 먼지, 연해(煙害) 등으로 인한 흡기성 만성 점막자극도 요인이 된다. 부정추소로 인두건조감, 초조감, 후비루, 연하통, 이방산통, 이폐색감, 두중감, 권태감 등이 나타난다.

【치료목표】 증상의 완화

【처　　방】 1) 증상의 완화 : 액중선 (MS1), 정섭후사선 (MS7) 의 4/5~5/5

2) 뇌활성화 : 정중선 (MS5)

3) 침구처방 : 정명(睛明), 어요(魚腰), 양백(陽白), 승읍(承泣), 내관(內關), 합곡(合谷), 삼음교(三陰交), 족삼리(足三里), 태충(太衝)

6. 이명(耳鳴) · 난청

이명은 외부로부터 소리의 자극이 없는데 소리가 들리는 것처럼 귀에서 느끼는 청각이상이다. 난청은 청력이 저하되는 것으로, 전음성 장애와 감음성 장애의 2가지로 나뉜다.

전음성 장애는 외이 · 중이가 장애를 받으며, 저조음, 단속성을 특징으로 한다. 난청도 저조음이 잘 들리지 않으며, 중이염, 이관협착증, 이경화증, 이후전색 등이 대표질환이다.

감음성 장애는 내이 · 내이신경 · 중추 등에 의한 것으로, 고조음, 지속성을 특징으로 한다. 난청도 고조음을 듣기 어려우며, 메니에르병, 돌발성난청, 노인성난청, 소음성난청 등이 대표질환이다.

돌발성난청은 ①갑작스런 난청, ②고도의 감음난청을 특징으로 한다. 원인불명이며, 이명, 현기증을 수반한다. 일측성이 많지만, 양측례도 있으며, 제8뇌신경 이외의 신경증상은 없다.

【치료목표】 증상의 완화, 진정

【처　　방】 1) 이증상 : 섭후선 (MS11)

2) 진정, 심신케어 : 액중선 (MS1), 정중선 (MS5)

3) 침구처방 : 청궁(聽宮), 청회(聽會), 완골(完骨), 예풍(翳風), 삼음교(三陰交), 태충(太衝), 태계(太溪), 간유(肝兪), 신유(腎兪)

7. 화분증(花粉症) · 알레르기성 비염

화분증 · 알레르기성 비염은 비증상과 안증상을 특징으로 하는 I 형알레르기이다. 삼목이나 노송나무 등이 유명하며, 계절성이 확실하다. 비증상에는 재채기, 수성비루, 코막힘, 안증상에는 가려움증, 충혈, 유루, 부종이 나타난다. 그 밖에는 귀의 가려움, 이폐색, 인 · 후두의 가려움, 기침, 두중감, 초조감, 불면, 열감, 집중력 저하, 피부 가려움증이나 호흡곤란을 수반한다. 화분증은 증가경향이 있으며, 약년성인의 항체보유율 30~40%에서 약 반수가 발병한다.

예방책으로 외출시에는 안경이나 마스크를 착용하며, 귀가후에는 세안이나 양치질을 하는 등의 화분회피가 필요하며, 증상에 따라서는 근치요법으로 감감작(減感作)(면역) 요법이 행해진다. 약물요법으로 항알레르기제나 국소스테로이드제 등을 사용한다.

두침요법은 화분증 · 알레르기성 비염의 증상완화를 위해서 보완적으로 돕는다.

【치료목표】 진정, 증상의 완화, 심신케어

【처　　방】 1) 비증상 : 정섭후사선 (MS7) 의 아래 4/5~5/5, 섭전선(MS10), 침상정중선(MS12), 침상방선 (MS13)

2) 진정, 심신케어 : 액중선 (MS1), 정중선 (MS5)

3) 침구처방 : 정명(睛明), 승읍(承泣), 사백(四白), 영향(迎香), 곡지(曲池), 합곡(合谷), 격유(膈兪), 혈해(血海), 삼음교(三陰交), 족삼리(足三里), 태충(太衝), 비유(脾兪), 간유(肝兪), 신유(腎兪)

5-9 소아질환의 두침요법

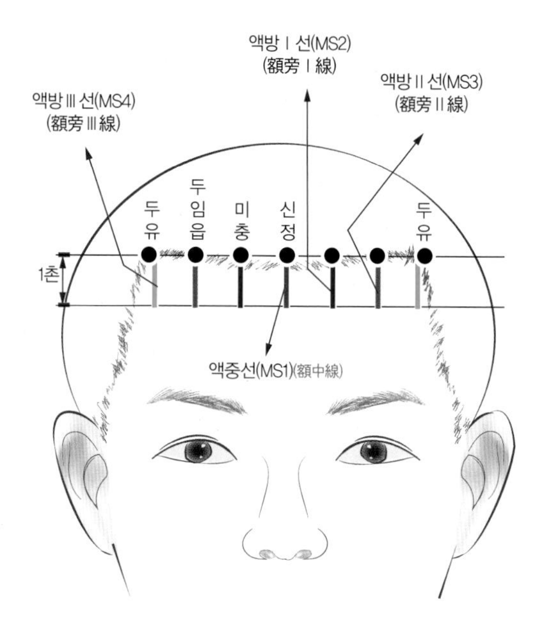

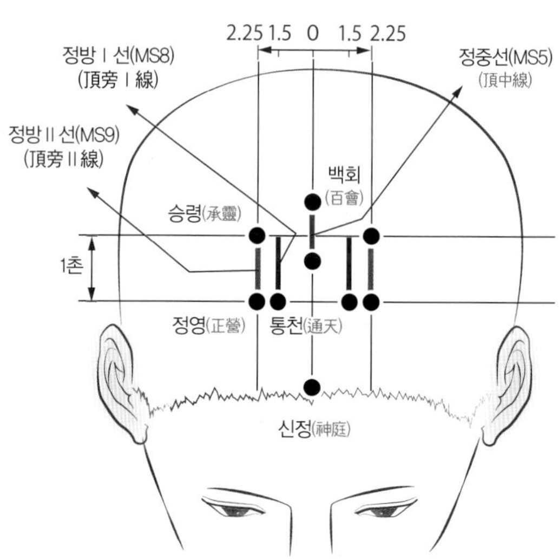

소아질환에 대한 두침요법은 정신신경질환이나 신경근질환과 공통점이 많다. 미(微)자극을 특징으로 한다.

● 치료부위

①전두부에 있는 액중선(額中線)(MS1) · 액방 I 선(額旁 I 線)(MS2) · 액방 II 선(額旁 II 線)(MS3) · 액방 III 선(額旁 III 線)(MS4). ②두정부에 있는 정중선(頂中線)(MS5) · 정방 I 선(頂旁 I 線)(MS8) · 정방 II 선(頂旁 II 線)(MS9)을 기본으로 하고 있다.

5-9 소아간질/소아의 중증 근무력증

1. 소아간질

의식레벨의 변화, 자율신경증상, 근긴장의 이상 등을 특징으로 하며, 소아에게 가장 발병률이 높은 신경질환의 하나이다. 만성화되면 여러 가지 뇌기능이 장애를 받으며, 특히 뇌의 발달에 중대한 영향을 미친다. 양성 소아간질 (병변부위가 중심 · 측두부에 있다), 예후가 양호한 특발성 간질 (파나이오트포로스 증후군) 로 분류된다.

소아간질의 치료는 항간질제에 의한 약물요법이 기준이 되며, 대부분은 예후가 양호하다.

【치료목표】 진정, 심신케어

【처　　방】 1) 신체증상의 완화 : 정중선 (MS5), 정방 I 선 (MS8), 정방 II 선 (MS9)

2) 진정 : 액중선 (MS1)

3) 침구처방 : 인중(人中), 수삼리(手三里), 합곡(合谷), 환도(環跳), 양릉천(陽陵泉), 족삼리(足三里), 태충(太衝), 간유(肝兪), 신유(腎兪)

2. 소아의 중증 근무력증

중증 근무력증은 신경근접합부가 장애를 받아서 피로하기 쉽다. 증상은 아침에 완화되었다가 저녁에 악화된다. 일내변동을 특징으로 하는 자기면역질환의 하나이다. 소아의 중증 근무력증은 ①안근형, ②잠재성 전신형 (증상은 안근증상뿐이지만, 사지의 근전도에서 이피로성을 확인한다), ③전신형의 3가지로 분류된다.

【치료목표】 증상의 완화

【처　　방】 1) 안증상 : 침상정중선 (MS12), 침상방선 (MS13), 침하방선 (MS14), 정섭후사선 (MS7) 의 아래 4/5~5/5

2) 신체증상 : 정중선 (MS5), 정방 I 선 (MS8) · 정방 II 선 (MS9)

3) 침구처방 : 정명(睛明), 어요(魚腰), 곡지(曲池), 합곡(合谷), 양릉천(陽陵泉), 족삼리(足三里)

5-9 소아의 주의 결핍 · 다동성 장애/뇌성마비 · 소아마비

3. 소아의 주의 결핍 · 다동성 장애

7세이전에 발병하는 부주의, 다동 · 충동성을 나타내는 소아의 행동이상, 학교나 가정 등 2군데이상의 장면에서 확인된다. 그 행동에 따라서 어린이의 생활에 큰 지장을 초래하고 있는 병태이다. 전두전(前頭前)영역이나 선조체(線條体), 측좌핵(側坐核)이 관여하고 있다.

심리사회적 접근과 약물요법에 의한 치료가 유효하다.

【치료목표】 진정, 심신케어

【처　방】 1) 진정 : 액중선 (MS1)

2) 신체증상의 완화 : 정중선 (MS5), 정방Ⅰ선 (MS8), 정방Ⅱ선 (MS9), 정섭전사선 (MS6)

3) 침구처방 : 인중(人中), 수삼리(手三里), 합곡(合谷), 환도(環跳), 양릉천(陽陵泉), 족삼리(足三里), 태충(太衝), 간유(肝兪), 신유(腎兪)

4. 뇌성마비 · 소아마비

1)뇌성마비 : 수태부터 신생아기까지 생긴 뇌의 비진행성 병변에 근거한, 영속적인, 그러나 변화할 수 있는 운동 및 자세의 이상을 특징으로 하며, 간질이나 정신지체 등을 수반하고 있다. 증상은 만2세까지 발현한다. 부위별 및 병인별로, ①양측성 경성뇌성마비, ②사지성 경성뇌성마비, ③편마비형 뇌성마비, ④아테토제형 뇌성마비, ⑤실조형 뇌성마비, ⑥혼합형 뇌성마비, 등으로 분류되고 있다. 조기진단에 의한 운동훈련이 중요하지만, 다방면에서 종합적 원조 · 치료가 필요하다.

2)소아마비 : 일반적으로 척수성 소아마비를 말한다. 폴리오바이러스의 척수회백질로의 감염에 의한다. 5세이하의 소아의 이환률이 높다. 급성기 후에 좌우비대칭성 이완성마비 (하지에 많다) 를 나타낸다.

【치료목표】 진정, 심신케어

【처　방】 1) 신체증상의 완화 : 정중선 (MS5), 정방Ⅰ선 (MS8), 정방Ⅱ선 (MS9), 정섭전사선 (MS6)

2) 진정 : 액중선 (MS1), 정중선 (MS5)

3) 침구처방 : 인중(人中), 수삼리(手三里), 합곡(合谷), 환도(環跳), 양릉천(陽陵泉), 족삼리(足三里), 태충(太衝), 간유(肝兪), 신유(腎兪)

5-9 언어지체/야경증/야뇨증

5. 언어지체

1세반이 지나도 유의단어 (말) 를 말하지 못하거나, 3세가 되어도 대화를 하지 못하는 상태이다. 언어의 발달은 개인차가 커서, 발육환경에 따라서 좌우된다.

언어지체의 원인은 ①특정적 원인 : 청력장애, 발어기관의 이상, 뇌의 기질적손상 등 ②원인을 특정할 수 없는 것 : 지적장애, 자폐성장애, 표출성 언어장애, 수용성 언어장애 등.

두침요법은 효과가 한정적이면서, 언어지체를 보완적으로 개선하도록 돕는다.

【치료목표】 뇌기능 조정

【처　　방】 1) 뇌기능조정 : 액중선 (MS1), 정중선 (MS5), 섭전선(MS10)

2) 침구처방 : 풍지(風池), 아문(瘂門), 예풍(翳風), 내관(內關), 삼음교(三陰交), 태충(太衝), 심유(心俞), 간유(肝俞)

6. 야경증

뇌종양이나 간질 등의 기질성질환을 제외한다. 서파수면시에 보이는 갑작스런 공포감, 훌쩍훌쩍 울고, 큰 외침을 주증상으로 하며, 자율신경증상이나 행동을 수반한다. 깨우려 해도 시간이 걸리며, 꿈을 기억하지 못하는 경우가 많다. 낮의 취침시에도 나타나는 경우가 있다. 남자에게 다소 많다. 통상 2~12세에 보이며, 대부분은 사춘기에 자연 소실된다.

두침요법은 야경증의 완화를 보완적으로 돕는다.

【치료목표】 진정, 뇌기능 조정

【처　　방】 1) 진정 · 뇌기능조정 : 액중선 (MS1), 정중선 (MS5)

2) 침구처방 : 풍지(風池), 대추(大椎), 내관(內關), 전중(膻中), 관원(關元), 삼음교(三陰交), 태충(太衝), 심유(心俞), 간유(肝俞), 신유(腎俞)

7. 야뇨증

6세가 지나도 유전적 요인에 의한 저방광용량, 야간다뇨가 지속되다가 야간유뇨가 되는 병태이다. 치료방침으로 생활습관의 재평가를 기본으로 하며, 약물투여, 알람요법을 병행한다.

【치료목표】 진정, 뇌기능조정, 증상의 완화

【처　　방】 1) 진정 · 뇌기능조정 : 액중선 (MS1), 정중선 (MS5)

2) 증상의 완화 : 액방Ⅲ선 (MS4)

3) 침구처방 : 관원(關元), 중극(中極), 방광유(膀胱俞), 백환유(白環俞), 팔료(八髎), 삼음교(三陰交), 태계(太溪), 신유(腎俞)

5-10 내과질환의 두침요법

내과는 호흡기, 순환기, 소화기를 비롯하여 전신성 또는 내장 등의 병을 주로 약물요법으로 치료하는 의료 중에서 가장 넓은 분야이다. 두침요법에서는 한마디로 내과학으로서, 그 원인질환 전부를 치료할 수 없다. 여러 가지 질환에서 공통적인 증상의 완화에 초점을 맞춘다.

치료부위

①전두부에 있는 액중선(額中線)(MS1), 액방Ⅰ선(額旁Ⅰ線)(MS2)·액방Ⅱ선(額旁Ⅱ線)(MS3)·액방Ⅲ선(額旁Ⅲ線)(MS4). ②정중선(頂中線)(MS5). ③정섭후사선(頂顳後斜線)(MS7) 을 기본으로 하고 있다.

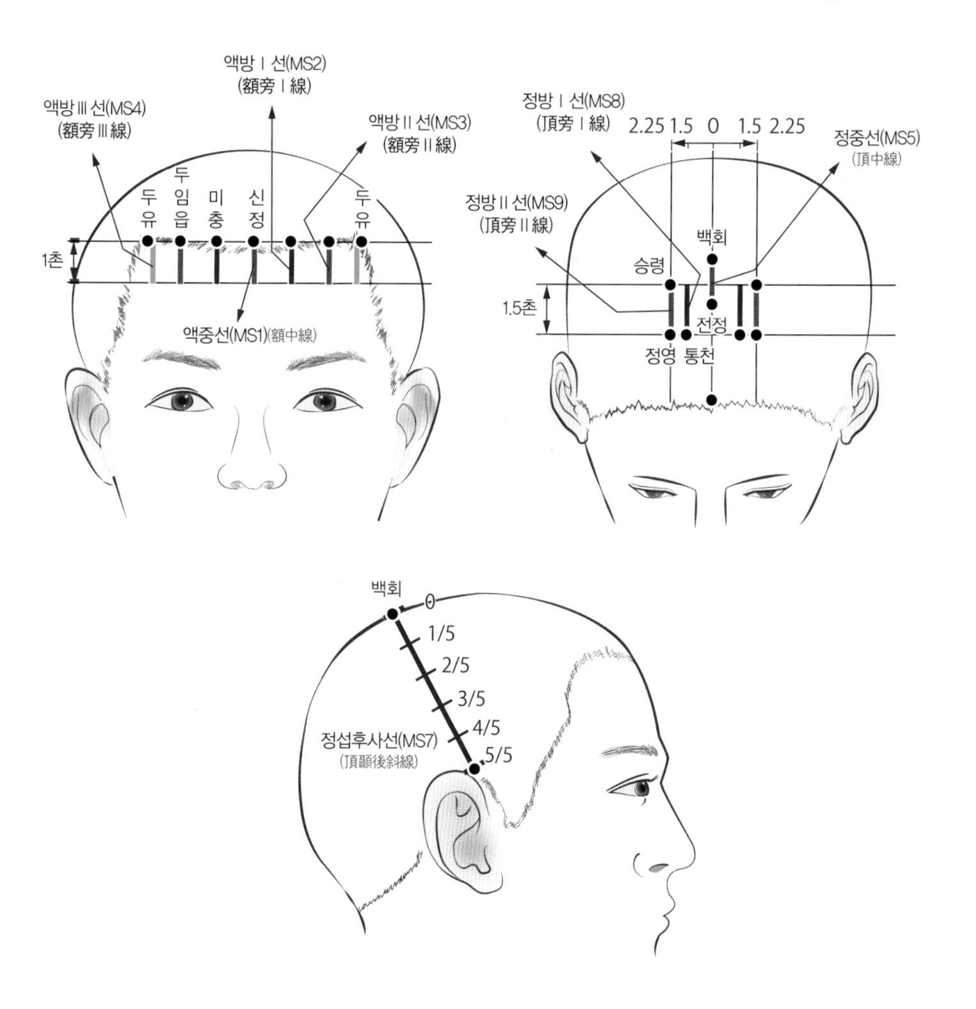

5-10 권태감/냉증 · 얼굴의 화끈거림, 머리로 피가 솟구침

1. 권태감

신체적, 정신적 나른함, 원기나 활력의 저하, 의욕이나 흥미의 소실을 자각증상으로 하고, 탈력이나 근력저하도 수반하고 있다. 신체성 (기질적 질환) 과 심인성 (정신성질환) 으로 나누며, 심인성에서 흔히 볼 수 있다.

만성피로증후군 (CFS) 은 일상생활에 지장을 초래하는 만성피로가 6개월이상 지속되는 증상군으로, 미열, 인두통, 림프절종창, 근육통, 두통, 관절통 등 다채로운 증상을 수반한다.

【치료목표】 심신케어

【처　　방】 1) 뇌활성화 : 정중선 (MS5), 정방 I 선 (MS8), 정방 II 선 (MS9)

2) 진정 : 액중선 (MS1), 액방 I 선 (MS2) · 액방 II 선 (MS3) · 액방 III 선 (MS4)

3) 감각조정 : 정섭후사선 (MS7)

4) 침구처방 : 대추(大椎), 내관(內關), 합곡(合谷), 관원(關元), 족삼리(足三里), 삼음교(三陰交), 태충(太衝), 심유(心兪), 비유(脾兪), 간유(肝兪), 신유(腎兪)

2. 냉증 · 얼굴의 화끈거림, 머리로 피가 솟구침

1)냉증 : 자각증상 (부정추소) 의 하나이다. 단순한 냉증은 여성을 고민하게 하는 경우가 많으며, 호르몬의 변동과 그에 수반하는 자율신경의 실조가 고려된다. 빈혈, 대동맥염증후군, 폐색성동맥경화, 버거씨병, 뇌하수체기능부전, 갑상선기능저하, 부신기능부전, 교원병, 레이노병 등에 기인하기도 한다.

2)얼굴의 화끈거림과 머리로 피가 솟구침

· 얼굴의 화끈거림이란 얼굴이 뜨거워지는 것. 또는 분노나 부끄러움 때문에 얼굴이 붉어지는 것.

· 머리로 피가 솟구침이란 상기되거나 열중하는 것.

얼굴의 화끈거림과 머리로 피가 솟구치는 것은 저열감(低熱感)에 정신불안을 수반하는 불쾌감, 고혈압, 바세도우병, 부신피질기능항진, 갱년기증후군 등에 나타나는 자각적인 증상의 하나이다.

두침요법에서는 뇌활성화, 자율신경의 조정을 통해서 보완적으로 돕는다.

【치료목표】 자율신경조정, 진정, 진통, 심신케어

【처　　방】 1) 진정 · 진통 : 액중선 (MS1), 액방 I 선 (MS2), 액방 II 선 (MS3), 액방 III 선(MS4)

2) 뇌활성화 : 정중선 (MS5)

3) 감각조정 : 정섭후사선 (MS7) 의 2/5, 정방 I 선 (MS8), 정방 II 선 (MS9)

4) 침구처방 : 대추(大椎), 합곡(合谷), 족삼리(足三里), 삼음교(三陰交), 팔풍(八風), 팔사(八邪), 비유(脾兪), 간유(肝兪), 신유(腎兪)

3. 고혈압 · 저혈압

1)고혈압 : 여러 차례 측정한 혈압치가 수축기 140mmHg이상, 또는 확장기혈압 90mmHg이상의 어느 하나를 충족시키는 경우에 고혈압이라고 정의한다. 혈압이 높다, 두통, 두중감, 어깨결림, 머리로 피가 솟구침, 현기증, 이명, 비출혈, 안구결막의 충혈, 위부불쾌감, 변비 등의 증상을 수반한다. 본태성 고혈압증과 2차성 고혈압증으로 나뉜다. 뇌졸중이나 심근경색의 발병을 억제하기 위해서 고혈압 치료가 중요하다.

2)저혈압 : 수축기혈압 100mmHg미만인 경우를 가리킨다. 또 와위에서 입위로 체위를 변환할 때에 혈압이 20~30mmHg이상 저하되는 경우를 기립성 저혈압이라고 한다.

만성저혈압에서는 특별히 일상생활에 지장 없이 예후가 양호한 경우가 많은데, 피로감, 탈력감, 권태감, 현기증, 일어섰을 때 느끼는 현기증 등을 부정추소로 한다.

【치료목표】 혈압조정, 진정, 심신케어

【처 방】 1) 혈압조정 : 정중선 (MS5), 섭후선 (MS11)
2) 진정 : 액중선 (MS1), 액방 I 선 (MS2)
3) 감각조정 : 정섭전사선 (MS6)
4) 침구처방 : 대추(大椎), 내관(內關), 합곡(合谷), 태연(太淵), 족삼리(足三里), 삼음교(三陰交), 태충(太衝), 심유(心兪), 간유(肝兪)

4. 식욕부진 · 비만 · 마름

1)식욕부진 : 식욕이 저하 또는 소실된 상태. 기질성 식욕부진과 정신신경성 식욕부진으로 나뉜다. 원인질환으로 소화기계 질환이 많지만, 내분비, 정신, 악성종양, 순환기, 신질환, 호흡기질환, 중증감염증, 약물, 임신오조(妊娠惡阻) 등에도 나타난다.

· 신경성 식욕부진증은 주로 젊은 여성에게 나타나며, 섭식혐오, 정신적 · 심리적 갈등, 여위어 수척하거나 무월경 등의 뇌하수체기능저하에 의한 것이다.

2)비만 : 지방조직이 과도하게 축적된 상태. WHO에서는 BMI 30이상을 비만이라고 하는데, 일본에서는 BMI 25이상을 비만이라고 판정하고 있다.

3)마름 : BMI 17이하를 마름이라고 판정한다. 표준체중에 대해 10%이상의 감소를 마름이라고 하고, 20%이상의 감소는 현저하게 마름 (여위어 수척함) 으로 분류한다. 식사제한을 하지 않는데 체중이 계속 감소하는 경우는 어떤 질환의 존재를 의심해 본다.

【치료목표】 기능조절, 심신케어

【처 방】 1) 뇌활성화 : 정중선 (MS5)
2) 진정 : 액중선 (MS1)
3) 위장기능조정 : 액방 II 선 (MS3)
4) 침구처방 : 대추(大椎), 내관(內關), 합곡(合谷), 족삼리(足三里), 삼음교(三陰 交), 태충(太衝), 심유(心兪), 비유(脾兪), 간유(肝兪)

5-10 감기증후군 · 해수 · 가래 · 천식/동계 · 숨참 · 흉통

5. 감기증후군 · 해수 · 가래 · 천식

1)감기증후군 : 발열 · 오한, 재채기, 콧물, 코막힘, 인두통, 해수, 객담, 발열, 두통, 요통, 전신권태감 등의 증상이 나타나는 증후군이다. 일반적으로 경증이지만, 전염성이 강한 인플루엔자, 감염질환의 조기증상, 또 기초질환을 가진 환자에게는 원질환의 급성악화를 간과해서는 안된다.

2)해수 : 기관 · 후두 · 호흡근의 반사적 수축운동으로, 기도의 이물이나 분비물을 제거하는 생체방어반사의 하나이다. 호흡기질환뿐 아니라, 호흡기질환이외에서도 일어난다.

3)가래 : 해수에 의해서 기도계에서 객출된다. 습성해수는 기도에서 증가한 분비물이 기도를 자극하여, 가래를 객출한다. 급 · 만성기관지염, 기관지확장증, 폐렴, 폐화농증(肺化膿症), 부비강기관지증후, 후비루(後鼻漏) 등이 나타난다. 건성해수는 객담을 수반하지 않는다. 상기도에서 하기도 전역에 있어서, 기도의 과민에 의한 마른기침이다. 감기증후군, 인플루엔자, 천식, 아토피해수, 후두알레르기, 간질성폐렴, 심인성해수, 기관지결핵, 위식도역류증, 폐암 등에서 나타난다.

4)천식 : 발작성 호흡곤란과 천명을 특징으로 하는 증후군이다. 기관지천식, 기관지염성 천식과 폐기종성 천식 등의 호흡기질환뿐 아니라, 심장천식이나 요독증성 천식도 있다.

【치료목표】 호흡기능조절, 해열, 기침 멈춤, 거담

【처　　방】 1) 뇌활성화 : 정중선 (MS5) / 2) 진정 : 액중선 (MS1)
3) 호흡기능조정 : 액방Ⅰ선 (MS2), 액방Ⅱ선 (MS3)
4) 침구처방 : 대추(大椎), 곡지(曲池), 합곡(合谷), 열흠(列欠), 풍륭(豊隆), 풍지(風池), 풍문(風門), 폐유(肺兪), 비유(脾兪)

6. 동계 · 숨참 · 흉통

1)동계(動悸) : 전신질환성 동계, 외인성 동계, 정신적 동계로 나뉜다. 전신질환성 동계는 갑상선기능항진증, 갈색세포종 등의 내분비질환, 저혈당, 빈혈, 발열, 탈수, 만성호흡기질환 등에 기인한다. 외인성 동계는 약제, 알콜, 커피 등의 카페인, 흡연 등에 의한다. 정신적 동계는 심장신경증, 과환기증후군 등으로 일어난다.

2)숨이 참 : 안정시나 가벼운 노작시에 느끼는 호흡성 불쾌감을 말한다. 호흡곤란부터 가벼운 호흡장애를 의미한다. 숨이 차는 것은 안정시인가 노작시인가, 노작시에 악화되는가, 발작성인가, 천명의 유무 등이 문진의 포인트가 된다.

3)흉통 : 흉부에 불쾌감, 압박감, 통증, 격통을 느끼는 병태이다. 경증 신경증 또는 근 · 늑골계에서 유래하는 동통이 가장 많지만, 심근경색, 협심증, 급성심막염, 심장신경증, 대동맥해리증, 자연기흉, 폐색전증, 폐경색, 흉막염, 폐암 등의 흉부내장에서 유래하는 것을 간과하지 않는다.

· 돌발성 늑간신경통은 통증이 돌발성으로, 늑간신경의 경로와 분포에 일치한다. 압통점이 촉진된다.

· 대상포진으로 인한 늑간통은 수두 · 대상포진바이러스에 기인하며, 늑간신경을 따라서 띠모양으로 붉은 발진과 수포가 출현하며, 동통을 수반한다.

【치료목표】 진정, 진통, 심신케어

【처　　방】 1) 진정 · 진통 : 액중선 (MS1), 액방Ⅰ선 (MS2), 액방Ⅱ선 (MS3) / 2) 뇌활성화 : 정중선 (MS5)
3) 침구처방 : 내관(內關), 신문(神門), 전중(膻中), 족삼리(足三里), 삼음교(三陰交), 태충(太衝), 심유(心兪), 간유(肝兪)

5-10 코골이/속쓰림 · 트림 · 오심, 구토

7. 코골이

수면시에 일어나는 이상한 호흡음을 특징으로 하는 병태이다. 비만증, 구개편도의 비대, 설편도의 비대, 아데노이드비대 등에 의한 상기도협착, 비질환에 기인한다.

【치료목표】 진정, 기능조절, 심신케어

【처　　방】 1) 진정 : 액중선 (MS1)

2) 뇌활성화 : 정중선 (MS5)

3) 기능조정 : 액방 I 선 (MS2)

4) 침구처방 : 내관(內關), 합곡(合谷), 족삼리(足三里), 삼음교(三陰交), 태충(太衝), 심유(心兪), 비유(脾兪), 간유(肝兪)

8. 속쓰림 · 트림 · 오심, 구토

1)속쓰림 : 흉골하부의 배면 또는 심와부의 상부에서 느끼는 작열감. 원인질환으로 만성위염, 기능성 위장증이 가장 많으며, 역류성 식도염, 식도열공헤르니아, 소화성궤양 (위 · 십이지장궤양) 순이다. 악성종양 (식도암, 위암) 은 빈도로는 적지만, 감별을 위해서 중요하다.

· 역류성 식도염에서는 하부식도괄약근의 이상으로 위산, 장액이나 소화효소의 역류로 식도점막이 손상된다. 약물요법뿐 아니라, 식사나 자세 등의 생활습관의 개선이 중요하다.

2)트림 : 위에 고인 가스가 입밖으로 나오는 것. 식후나 와위(臥位)에 의해서 악화되는 경우가 많다.

3)오심(惡心), 구토 : 오심은 토하고 싶고, 토하려는 절박한 감각이다. 구역질과 동의. 구토는 위 내용물이 식도, 구강을 통해서 배출되는 것을 말한다. 원인질환이 다채롭다. 뇌압항진, 소화관질환, 간담췌질환, 심질환, 약물, 내이(內耳), 전정기관질환 및 신경성, 심인성이 나타나지만, 임신 가능한 여성에게는 임신으로 인한 오심 · 구토에 유의해야 한다.

【치료목표】 진정, 기능조절, 심신케어

【처　　방】 1) 뇌활성화 : 정중선 (MS5)

2) 진정 : 액중선 (MS1)

3) 기능조정 : 액방 I 선 (MS2)

4) 침구처방 : 대추(大椎), 내관(內關), 합곡(合谷), 전중(膻中), 중완(中脘), 족삼리(足三里), 삼음교(三陰交), 태충(太衝), 심유(心兪), 비유(脾兪), 간유(肝兪)

5-10 위통 · 위불쾌감/복통

9. 위통 · 위불쾌감

위통, 더부룩함, 위부불쾌감 등을 주증상으로 하는 병태이지만, 위염, 만성위염, 위 · 십이지장궤양 등의 질환에 기인하는 경우가 많다. 바이러스나 감염증 및 스트레스 등의 정신적 요인이 관여하고 있다.

【치료목표】 진정, 진통, 기능조절, 심신케어
【처　　방】 1) 기능조정 : 액방Ⅱ선 (MS3)
2) 진정 · 진통 : 액중선 (MS1)
3) 뇌활성화 : 정중선 (MS5)
4) 침구처방 : 내관(內關), 합곡(合谷), 중완(中脘), 족삼리(足三里), 삼음교(三陰交), 태충(太衝), 비유(脾兪), 간유(肝兪)

10. 복통

내장통 · 체성통(体性痛) · 관련통의 3가지로 나뉜다. 내장통은 복부관강장기의 평활근의 과신전, 과수축으로 야기된다. 둔통과 주기성의 선통을 특징으로 하며, 오심, 동계, 발한 등의 자율신경증상을 수반한다. 체성통은 염증이나 기계적 · 화학적 자극이 복막, 장간막, 횡격막 등에 미치는 경우에 야기된다. 지속적이며 날카롭고, 비교적 국한된 통증을 특징으로 하며, 체위변환이나 신체 움직임으로 증강하는 경우가 많다. 관련통은 극심한 내장통이 척수내에서 인접섬유에 파급되어, 그 높이의 피부분절에서 동통을 느낀다. 복부 이외에 느껴지는 관련통을 방산통(放散痛)이라고 한다. 원인질환은 기능성 소화기질환에 의한 것이 가장 많으며, 심인성 원인도 포함된다. 다음은 기질성 소화기질환이다. 타장기질환도 적지 않게 존재하지만, 전신성질환에 의한 것은 비교적 적다.

【치료목표】 진정, 진통, 기능조절, 심신케어
【처　　방】 1) 위장기능조정 : 액방Ⅱ선 (MS3), 액방Ⅲ선 (MS4)
2) 진정 · 진통 : 액중선 (MS1)
3) 뇌활성화 : 정중선 (MS5)
4) 침구처방 : 내관(內關), 합곡(合谷), 천추(天樞), 족삼리(足三里), 삼음교(三陰交), 태충(太衝), 비유(脾兪), 간유(肝兪)

5-10 설사 · 변비/당뇨병

11. 설사 · 변비

1)설사 : 보통변의 수분함유량은 바나나상 (수분 70~80%) 이지만, 그 이상으로 증가한 병태 (1일 분변 중의 수분량이 200mL이상 또는 분변중량이 200g이상) 를 설사라고 정의하고 있다. 급성설사와 만성설사로 나뉜다. 병인은 여러 가지이므로, 증상 발현 양상, 배변횟수, 변의 성상 (혈변이나 점액변 등), 식사섭취력, 복용력, 해외도항력, 설사가 생기는 기초질환의 유무, 수반증상 (복통, 발열, 체중감소) 등의 문진을 충분히 한다.

2)변비 : 장관내에서 분변의 이상 정체 또는 통과 시간의 이상 연장에 의해서, 배변횟수나 배변량이 감소된 병태. 변비를 엄밀하게 정의하기는 어렵지만, 배변횟수의 감소 (3~4일이상 배변이 없는 것), 변량의 감소 (35g/일이하), 단단한 분변의 배출에 따라서, 배변에 어려움을 느끼는 병태이다. 급성과 만성, 기질성과 기능성으로 나뉜다.

【치료목표】 위장기능조절, 심신케어
【처　　방】 1) 위장기능조정 : 액방 II 선 (MS3)
2) 뇌활성화 : 정중선 (MS5)
3) 침구처방 : 합곡(合谷), 천추(天樞), 대횡(大橫), 소장유(小腸俞), 팔료(八髎), 족삼리(足三里), 삼음교(三陰交), 태충(太衝), 비유(脾俞), 간유(肝俞)

12. 당뇨병

일본당뇨병학회에서는 수시혈당치가 200mg/dL이상, 공복시 혈당치가 126mg/dL이상, 75g경구포도당부하시험 2시간치가 200mg/dL이상 중의 어느 하나이면 당뇨병형이라고 하며, 다른 날의 검사에서 당뇨병형이 2회 확인되거나, 1회의 확인이라도 당뇨병의 특징적인 증상이다. HbA1C6.5%이상, 또는 당뇨병망막증이 있는 경우, 당뇨병이라고 진단한다.

병태생리는 인슐린의 절대적 또는 상대적 부족으로 일어난다. 지속적 고혈당상태이다. 원인은 유전적 인자와 환경적 인자의 양쪽이 서로 얽혀 있다. 환경인자로는 비만, 과식, 스트레스, 약제, 바이러스감염 등이 있다.

임상에서는 1형당뇨병과 2형당뇨병의 2가지로 크게 나눌 수 있는데, 후자의 당뇨병이 많이 나타나고 있다. 합병증으로 당뇨병망막증, 당뇨병성 신증, 당뇨병성 신경장애를 들 수 있다. 또 생활습관병인 고지혈증, 고혈압증, 비만과 더불어, 동맥경화의 위험인자가 되어, 심근경색이나 뇌경색을 일으킨다.

【치료목표】 혈당대사조절
【처　　방】 1) 혈당대사조절 : 정중선 (MS5)
2) 위장기능조정 : 액방 I 선 (MS2), 액방 II 선 (MS3)
3) 침구처방 : 합곡(合谷), 중완(中脘), 건리(建里), 천추(天樞), 족삼리(足三里), 삼음교(三陰交), 태충(太衝), 비유(脾俞), 삼초유(三焦俞), 간유(肝俞), 신유(腎俞)

13. 바세도우병

갑상선자극호르몬수용체 항체가 갑상선을 자극하여, 갑상선이 미만적으로 종대되어, 갑상선호르몬을 상승시킴으로써, 바세도우병 (갑상선기능항진)이 된다.

여성에게 호발한다. 빈맥, 갑상선종, 안구돌출이라는 Merseburg의 3징후가 주증상이 되지만, 발한과다, 체중감소, 피로감, 손가락진전, 기초대사항진, 아킬레스건반사항진, 수축기혈압의 상승, 콜레스테롤치의 저하도 나타난다. 정신증상으로는 초조하여 침착하지 못하고, 집중하지 못하며, 다변(多弁) 등의 경조상태가 되거나, 우울상태에 빠지기도 한다.

【치료목표】 진정대사조절

【처　　방】 1) 진정, 대사조절 : 정중선 (MS5), 액중선 (MS1)

2) 감각기능조정 : 정섭후사선 (MS7)

3) 침구처방 : 풍지(風池), 대추(大椎), 곡지(曲池), 합곡(合谷), 족삼리(足三里), 삼음교(三陰交), 태충(太衝), 심유(心俞), 비유(脾俞), 간유(肝俞), 신유(腎俞)

14. 통풍

고요산혈증이 장기간 지속된 결과, 요산염결정의 침착에 근거하여 급성관절염을 일으키는 병태이다. 제1중족골지절관절에 나타나는 통풍관절염, 통풍결절을 주증상으로 한다. 비만, 고혈압, 지질이상증 (고지혈증), 내당능이상 등을 복합적으로 합병하는 경우가 많다. 고요산혈증은 허혈성 심질환, 뇌혈관장애의 발병과 밀접하게 관련된다.

【치료목표】 진정, 진통, 심신케어

【처　　방】 1) 진정 : 액중선 (MS1), 정중선 (MS5)

2) 진통 : 액방Ⅲ선 (MS4), 정방Ⅰ선 (MS8), 정섭후사선 (MS7)의 1/5

3) 침구처방 : 내관(內關), 합곡(合谷), 족삼리(足三里), 삼음교(三陰交), 행간(行間), 대도(大都), 태백(太白), 삼초유(三焦俞), 간유(肝俞), 신유(腎俞)

5-10 관절류머티스 (RA)/전신성 홍반루푸스 (SLE)

15. 관절류머티스(RA)

원인은 불분명하지만, 자기면역기저가 관련되어 있는 병태이다. 40~50대에서 발병이 많고, 여성에게 많다. 다발성 (3관절이상) 대칭성관절염을 특징으로 한다. 수관절, 중수지절간 (MCP) 관절, 근위지절간 (PIP) 관절 등의 수관절에 발병하기 쉽다. 이환 관절의 동통, 종창, 열감, 가동역제한이 있으며, 아침의 경직, 발열, 전신권태감, 식욕부진 등의 전신증상을 수반한다. 골의 파괴가 진행되면, 손가락에 swan neck변형이나 단추구멍변형 등의 RA특유의 변형이 나타난다.

RA는 난치질환의 하나이지만, 근년, RA의 약물요법이 눈부신 진보를 이루어, 골 · 연골의 파괴나 관절의 변형을 예방할 수 있게 되었다. 조기진단, 조기치료가 중요하다.

【치료목표】 진정, 진통, 운동 · 관절기능의 개선

【처　　방】 1) 진정 · 진통 : 정중선 (MS5), 액중선 (MS1)

2) 운동 · 관절기능의 개선 : 정방Ⅱ선 (MS9), 정섭전사선 (MS6)의 1/5

3) 침구처방 : 합곡(合谷), 양계(陽溪), 중저(中渚), 중충(中衝), 팔사(八邪)

16. 전신성 홍반루푸스 (SLE)

교원병(膠原病)을 대표하는 질환의 하나이다. 원인불명의 다장기를 장애하는 만성적 전신염증성 자기면역질환이다. 20~40대 여성에게 호발한다.

SLE의 임상증상은 매우 다채롭다. ①접형홍반이나 디스코이드진을 특징으로 하는 피진. ②골파괴를 수반하지 않는 대칭성 · 다발성 관절염. ③루프스신염. ④경련발작과 정신증상 등의 정신신경증상. ⑤심폐증상. ⑥소화기증상. ⑦혈액증상 등. 두침요법의 효과는 한정적이지만, 심신케어 및 증상의 완화를 보완적으로 돕고 있다.

【치료목표】 진정, 심신케어

【처　　방】 1) 진정 : 액중선 (MS1), 정중선 (MS5)

2) 증상의 완화 : 정섭후사선 (MS7) 의 4/5~5/5

3) 침구처방 : 관원(關元), 기해(氣海), 족삼리(足三里), 삼음교(三陰交), 대추(大椎), 풍문(風門), 폐유(肺俞), 심유(心俞), 비유(脾俞), 삼초유(三焦俞), 간유(肝俞), 신유(腎俞)

5-11 완화의료의 두침요법

완화의료는 완화케어라고도 한다. 암 등의 생명을 위협하는 질환에 걸린 말기환자에 대해서, 고통의 완화와 QOL의 향상을 목표로 한 의료이다. 완화의료는 환자와 그 가족 본위에 의하며, 통증이나 그 밖의 신체적, 심리적, 사회적인 문제를 적극적이고 전인적으로 하는 것을 기본으로 한다. 두침요법에서는 진통, 진정 및 뇌기능의 조정으로, 고통의 완화나 QOL의 향상을 돕는다. 완화의료 속에 적극적으로 받아들이고자 한다.

● **치료부위**

①전두부에 있는 액중선(額中線)(MS1), 액방 I 선(額旁 I 線)(MS2) · 액방 II 선(額旁 II 線)(MS3) · 액방 III 선(額旁 III 線)(MS4). ②두정부에 있는 정중선(頂中線)(MS5) · 정방 I 선(頂旁 I 線)(MS8) · 정방 II 선(頂旁 II 線)(MS9). ③정섭후사선(頂顳後斜線)(MS7)

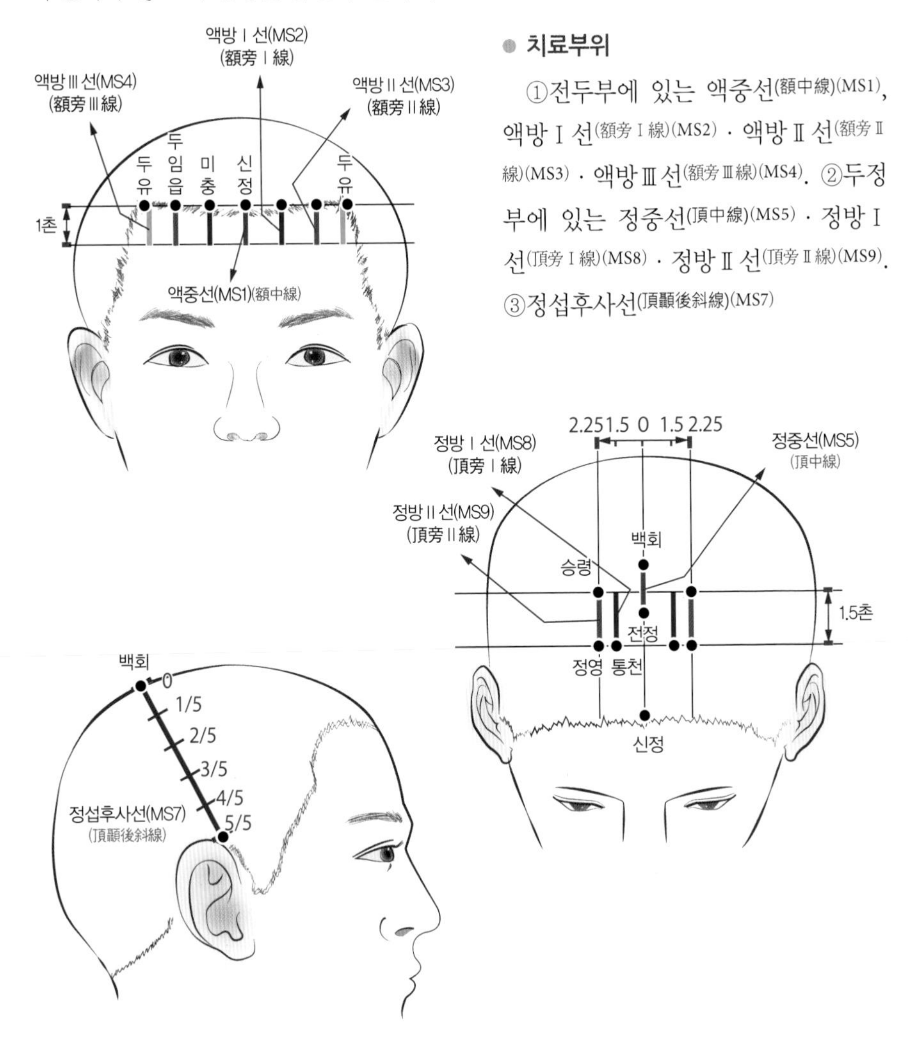

5-11 암

1. 암

1)동통 : 동통은 감각체험 (신체적 감각) 과 정동체험 (심리적 감각) 의 2가지 측면에서 느껴지는 불쾌한 감각 (자각, 또는 주관적), 고통이다. 동통은 신체적인 통증뿐 아니라, 정신적 · 심리사회적 · spiritual 등 다면성이 있으며, 각 요소가 복잡하게 서로 얽혀서 전인적인 고통이 되는 특징이 있다. 동통은 생활의 질 (QOL)을 저하시키는 가장 대표적인 증상의 하나이다.

예를 들면, 암동통의 원인은 암에 의한 통증, 암 치료에 기인하는 통증, 암에 의한 신체의 쇠약 및 정신 · 심리적으로 기인하는 통증 등을 들 수 있다. 또 동통은 그 병태에 따라서 체성통, 내장통과 신경장애성 동통으로 분류된다.

2)소화기증상

· 구역질 · 구토 : 예를 들면 암환자의 약 40~70%에 나타나며, 암의 병기나 치료의 어느 단계에서나 일어날 수 있는 매우 빈도가 높은 증상이다.

· 소화기폐색 : 진행 · 재발기에 있는 암환자의 소화관폐색은 구역질 · 구토 · 복통 · 복부팽만감이라는 증상에 따라서 QOL을 현저하게 저하시킨다.

· 복수(腹水) : 암에 의한 복수는 복부팽만감, 땅기는 듯한 통증, 식욕부진이나 호흡곤란 등이 나타난다.

· 변비 : 암환자에게 매우 빈도가 높은 증상이며, 난치성이다.

3)권태감 : 나른함이나 극도의 피로감을 주소로 하는 권태감은 78~96%의 가장 빈도가 높은 증상이며, 일상생활에 대한 영향이 매우 크다. 예를 들면, 암 자체, 악액질(惡液質)의 진행, 항암제, 화학방사선요법에 의한 부작용, 빈혈이나 감염증, 고칼슘혈증, 억울, 수면장애 등이 암에 의한 권태감의 원인이 된다.

【치료목표】 진정, 진통, 심신케어

【처　　방】 1) 진정 : 액중선 (MS1), 액방Ⅰ선 (MS2), 액방Ⅱ선 (MS3), 액방Ⅲ선 (MS4)

2) 진통 : 정중선 (MS5), 정방Ⅰ선 (MS8), 정방Ⅱ선 (MS9)

3) 감각조정 : 정섭후사선 (MS7)

4) 침구처방 : 대추(大椎), 내관(內關), 합곡(合谷), 족삼리(足三里), 삼음교(三陰交), 태충(太衝), 심유(心兪), 간유(肝兪)

CHAPTER 06

여러 선생님의 두침요법

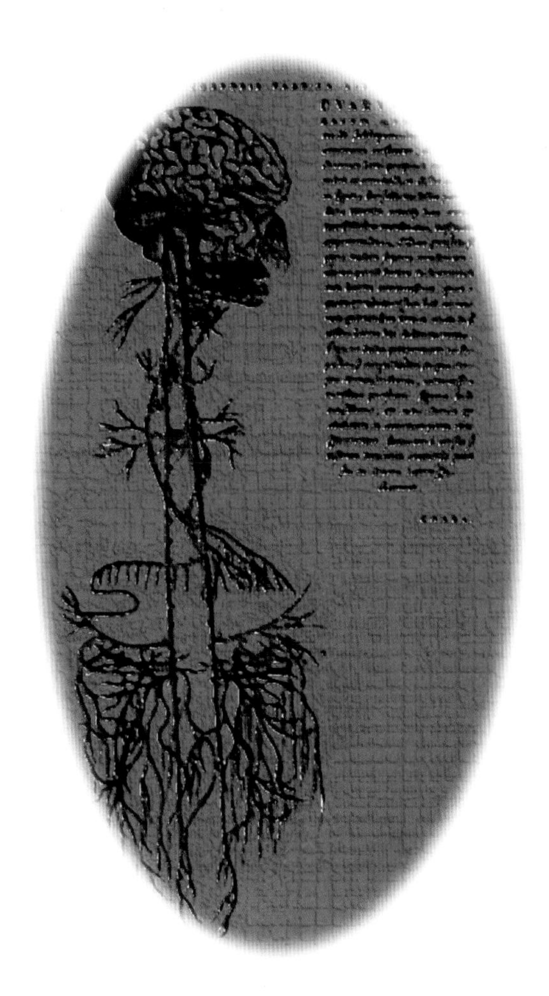

6-1 초씨(焦氏) 두침(1)

1970년, 중국 · 산서성(山西省) 운성시(運城市)의 초순발(焦順發)씨가 대뇌의 기능국재에 근거하여 14두부자극부위(구) 를 기본으로 한 초씨 두침을 고안했다. 초씨 두침은 WHO/WPRO국제표준두침과 유사하여 뇌혈관질환을 비롯하여 현대침구임상에서 흔히 응용되고 있다.

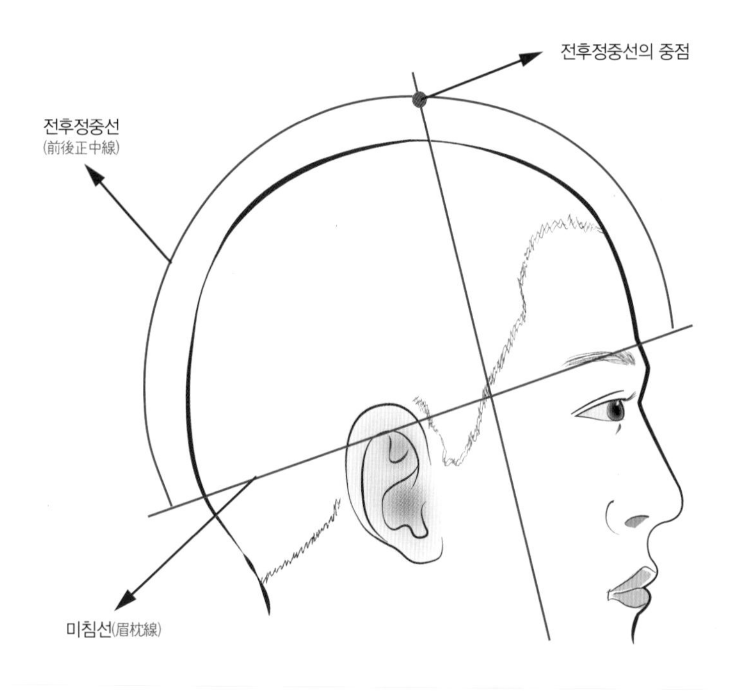

초씨 두침의 부위를 정하는 데는 전후정중선(前後正中線)과 미침선(眉枕線)의 2줄을 기준선으로 한다.

1)전후정중선(前後正中線) : 해부의 시상정중선에 해당한다. 미간(인당:印堂) 과 외후두융기 하연의 중점을 연결한다. 그 중앙에 있는 점을 전후정중선의 중점이라고 한다. 이 중점은 초씨두침 부위를 정하는 데에 중요하다.

2)미침선(眉枕線) : 눈썹의 중점(어요:魚腰) 상연에서 외후두융기 끝까지 연결한다.

6-1 초씨(焦氏) 두침(2)

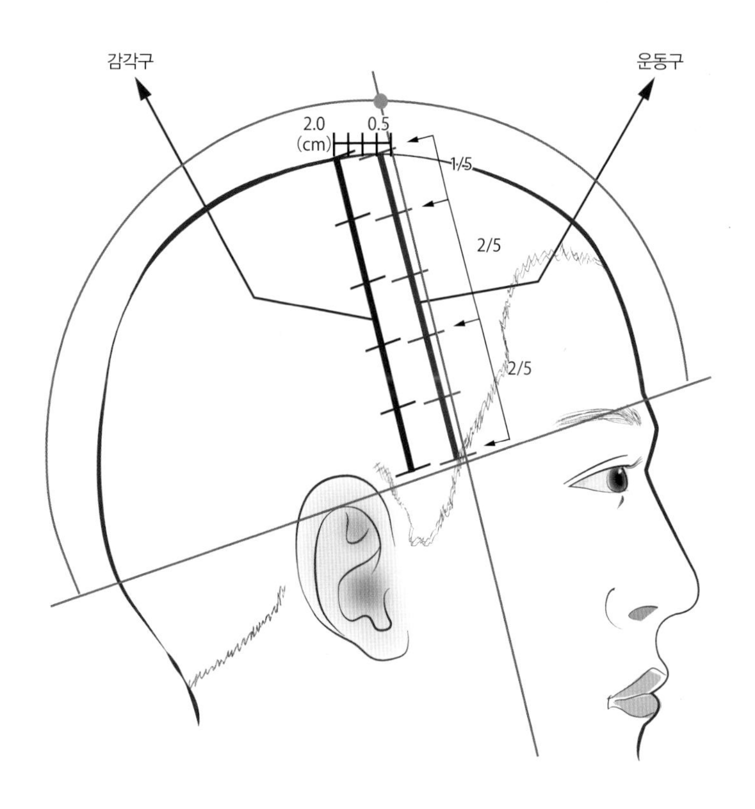

1)운동구 : 위점은 전후정중선 중점에서 뒤쪽으로 0.5cm 이동한다. 아래점은 미침선(眉枕線)과 귀밑털 앞쪽 가장자리와의 교점. 그 위점과 아래점을 연결하는 선을 운동구라고 한다. 그 운동구를 5등분하여 위쪽 1/5는 하지와 체간부, 중앙 2/5는 상지, 아래쪽 2/5는 안면, 또는 언어 1구의 운동으로 구분한다. 운동구는 대뇌피질의 중심전회(中心前回)의 운동영역에 해당한다. 운동질환이나 운동실어의 치료에 이용한다.

2)감각구 : 위점은 전후정중선 중점에서 뒤쪽으로 2.0cm 이동하고, 운동구와 평행선이다. 운동구와 마찬가지로, 5등분한다. 위쪽 1/5는 하지와 체간부, 중앙 2/5는 상지, 아래쪽 2/5는 안면감각으로 구분한다. 감각구는 대뇌피질의 중심후회(中心後回)의 감각영역에 해당한다. 동통, 지각장애 등의 감각장애의 치료에 이용한다.

6-1 초씨(焦氏) 두침(3)

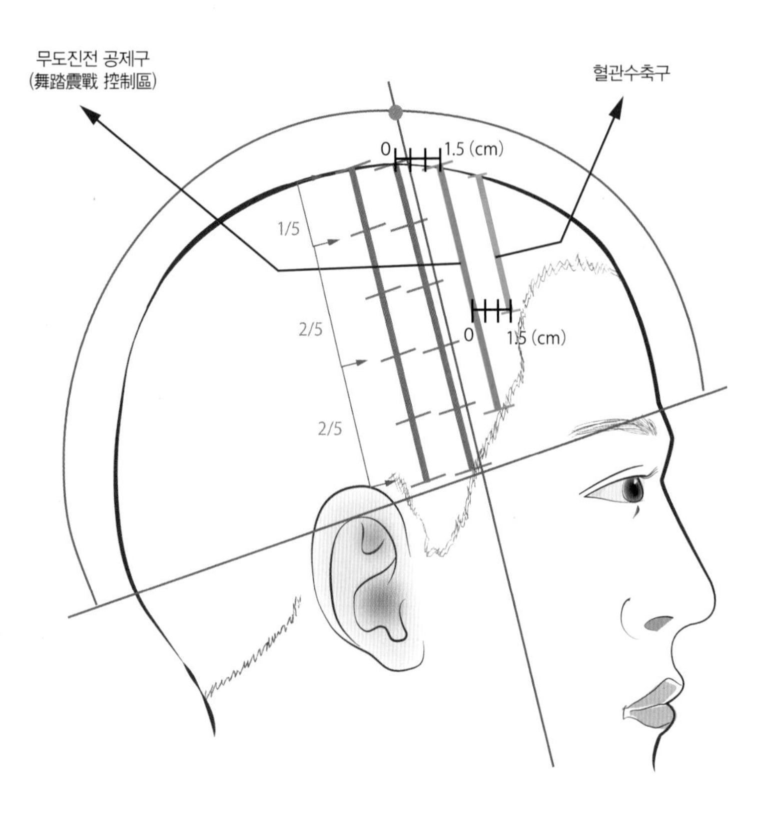

3)무도진전 공제구(舞踏震戰 控制區) : 운동구에서 앞쪽으로 1.5cm 평행이동한 선이다. 파킨슨증후군, 무도병 및 진전마비 등의 추체외로질환의 치료에 이용한다.

*공제: 통제를 의미한다.

4)혈관수축구(혈관서축구:血管舒縮區) : 무도진전 공제구에서 앞쪽으로 1.5cm 평행이동한 선이다. 고혈압 등의 혈관장애나 뇌질환으로 인한 부종 치료에 이용한다.

*혈관서축: 혈관수축을 의미한다.

6-1 초씨(焦氏) 두침(4)

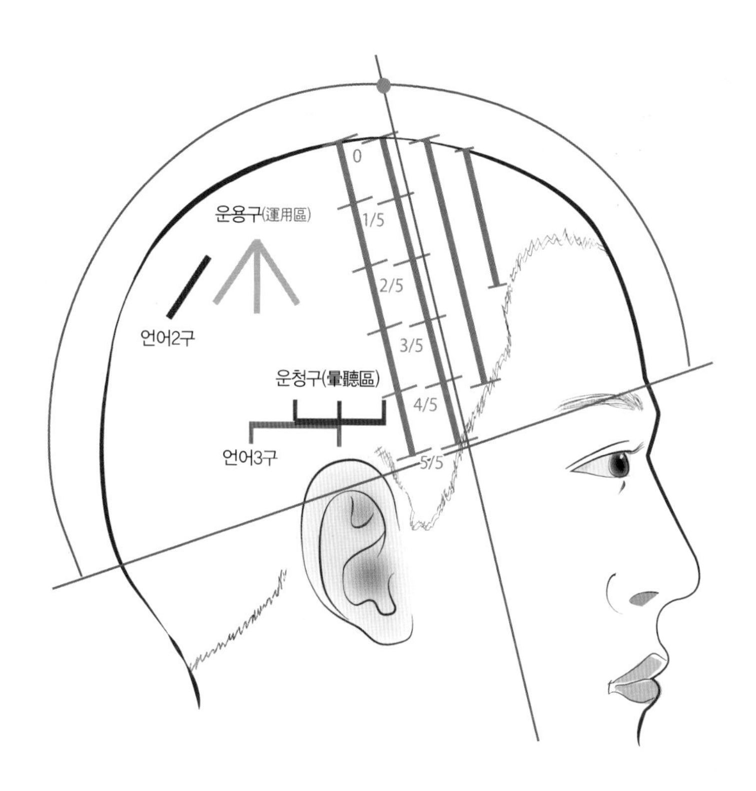

5)운용구(運用區) : 두정골에 있는 두정결절* 에서 측두골에 있는 유양돌기*를 향해서 3cm의 선을 긋는다. 그 선을 축에 각도 30°로 3cm의 선을 2줄 긋는다. 이 3줄을 운용구라고 한다. 실행증 치료에 이용한다.

*두정결절(頭頂結節): 두정골의 외면에 있으며, 그 중앙부에서 가장 팽륭한 부위. 태아 및 약년두개에서 현저하다. 또 좌우 양측의 두정결절 사이의 거리가 두개폭이 가장 넓은 곳, 즉 최대뇌두개폭경으로 알려져 있다.

*유양돌기: 측두골의 후하방부, 골성외이도(骨性外耳道)의 후내측에서 경상돌기의 외측에 있는 원추상 돌기.

6)운청구(暈聽區) : 이첨(耳尖)에서 바로 위 1.5cm를 기준점으로 하여 4cm의 수평선을 긋는다. 현기증이나 청각장애 등의 치료에 이용한다.

7)언어2구 : 두정결절의 후하방 2cm를 기준점으로 하며, 전후정중선과 평행하게 3cm의 사선을 긋는다. 명사(名詞)실어증 치료에 이용한다.

8)언어3구 : 훈청구(暈聽區) 중점에서 뒤쪽으로 4cm 수평선을 긋는다. 감각성 실어증 치료에 이용한다.

6-1 초씨(焦氏) 두침(5)

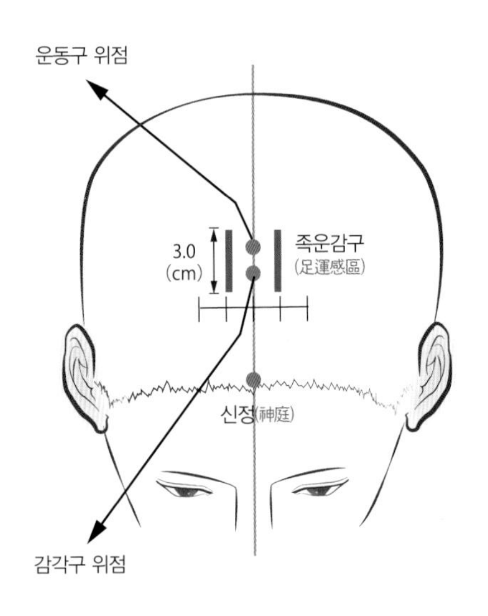

9)족운감구(足運感區) : 두정(頭頂)에 있으며, 전후정중선 중점에서 바깥쪽 1cm 를 기준점으로 하며, 뒤쪽으로 3cm의 수직선을 긋는다. 반대측 하지마비, 요통, 배뇨장애, 여성질환, 남성질환 등의 치료에 이용한다.

10)시구(視區) : 외후두융기 끝의 수평선상에서 그 끝에서 좌우로 1cm 를 기준점으로 하여 위쪽으로 4cm 수직선을 긋는다. 소뇌장애 등 평형질환의 치료에 이용한다.

11)평형구(平衡區) : 외후두융기 끝의 수평선상에서 그 끝에서 좌우로 3.5cm를 기준점으로 하여 아래쪽으로 4cm의 수직선을 긋는다. 시력장애 등 안질환의 치료에 이용한다.

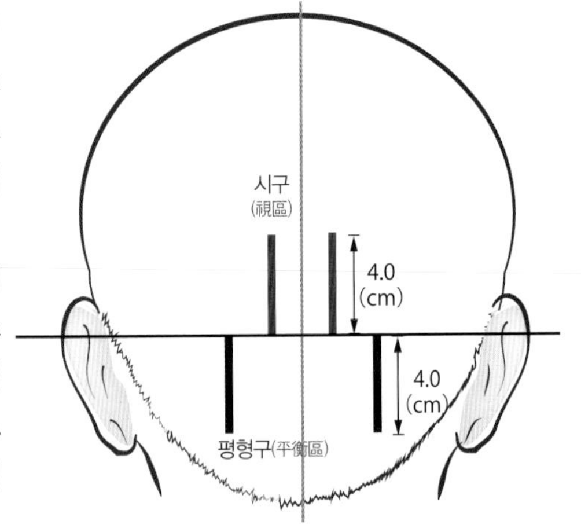

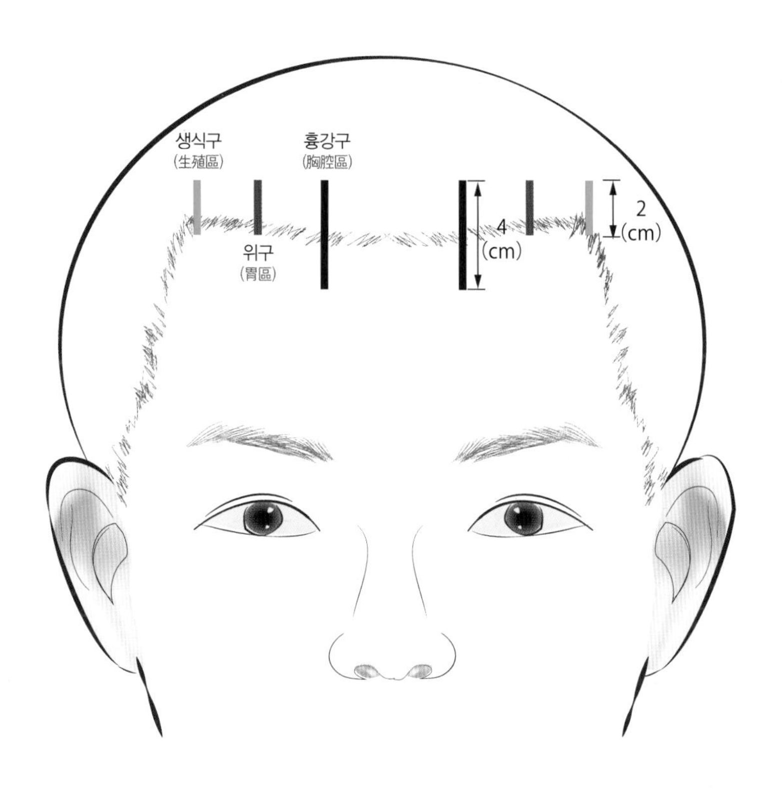

12)위구(胃區) : 동공중선과 전발제와의 교점을 기준점으로 하여 위쪽으로 2cm의 선을 긋는다. 상복부나 위통 등의 치료에 이용한다.

13)흉강구(胸腔區) : 위구를 정하는 동공중선과 전후정중선의 중앙에 있으며, 전발제에서 상하방향으로 각 2cm의 선을 긋는다. 호흡이나 순환의 심폐질환, 배뇨장애, 부종 등의 치료에 이용한다.

14)생식구(生殖區) : 액각(額角)(두유:頭維) 을 기준점으로 하여 위쪽으로 2cm의 선을 긋는다. 여성질환이나 남성질환의 치료에 이용한다.

6-2 주씨(朱氏) 두침(1)

1980년경, 중국 · 북경 침구골상학원 주명청(朱明清)씨가 중의학경맥이론에 근거하여 9자극대(구역) 를 정하고, 200회/분의 쾌속적 염침(捻鍼)자극을 특징으로 하는 주씨 두침이 고안되었다.

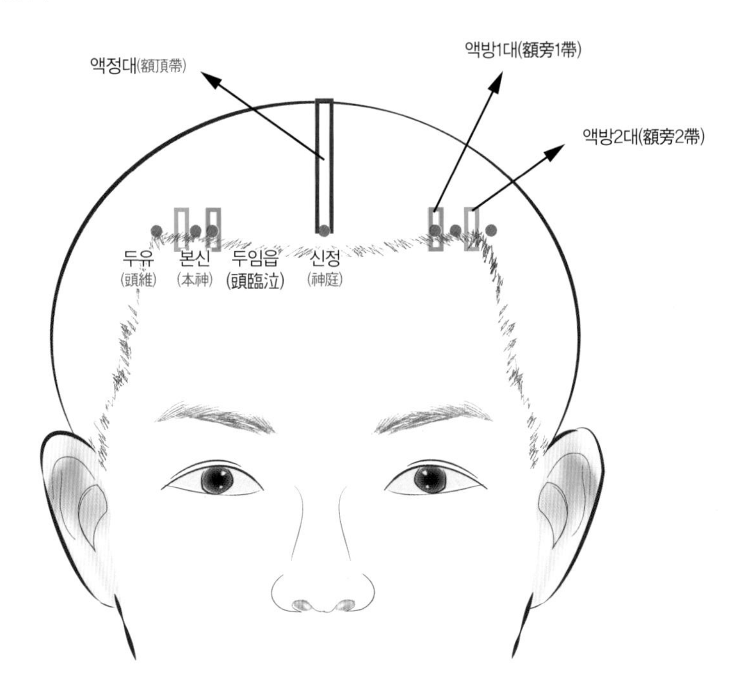

1)액정대(額頂帶) : 신정(神庭)에서 백회(百會)까지의 독맥(督脈)을 기준라인으로 하며, 10촌폭의 띠를 긋는다. 독맥과 족태양방광경 사이에 해당하는 자극대이다. 이 자극대를 4등분한다.

전방에서 1/4부는 두부나 안면부, 혀 및 인후부의 질환에 대한 치료.

전방에서 2/4부는 흉부의 호흡이나 순환기계의 심폐질환, 횡격막경련에 대한 치료.

전방에서 3/4부는 상복부의 간담(肝膽), 위나 췌장질환에 대한 치료.

후방의 1/4부는 하복부의 비뇨기계나 생식계통질환에 대한 치료.

2)액방1대(額旁1帶) : 두임위(頭臨泣)를 기준점으로 하여 0.5촌 폭, 상하로 0.5촌의 띠를 긋는다. 비뇨기계의 신장, 방광질환, 생식계통질환의 치료에 이용한다.

3)액방2대(額旁2帶) : 본신(本神)에서 두유(頭維)로 0.25촌을 기준점으로 하여 0.5촌 폭, 상하로 0.5촌의 띠를 긋는다. 비뇨기계의 신장, 방광질환, 생식계통질환의 치료에 이용한다.

6-2 주씨(朱氏) 두침(2)

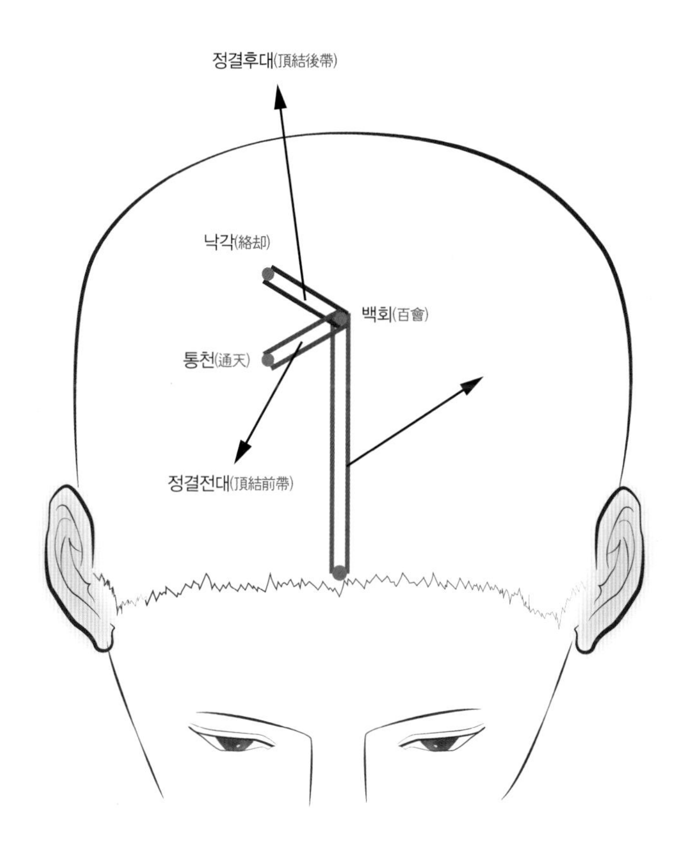

4)정결전대(頂結前帶) : 통천(通天)에서 백회(百會)를 향해서, 0.5촌 폭의 띠를 기준라인으로 정한다. 좌골신경통이나 이상근(梨狀筋) 손상, 고관절 및 둔부증상의 치료에 이용한다.

5)정결후대(頂結後帶) : 낙각(絡却)에서 백회(百會)를 향해서, 0.5촌 폭의 띠를 긋는다. 경추(頸椎)나 견관절 주위질환의 치료에 이용한다.

6-2 주씨(朱氏) 두침(3)

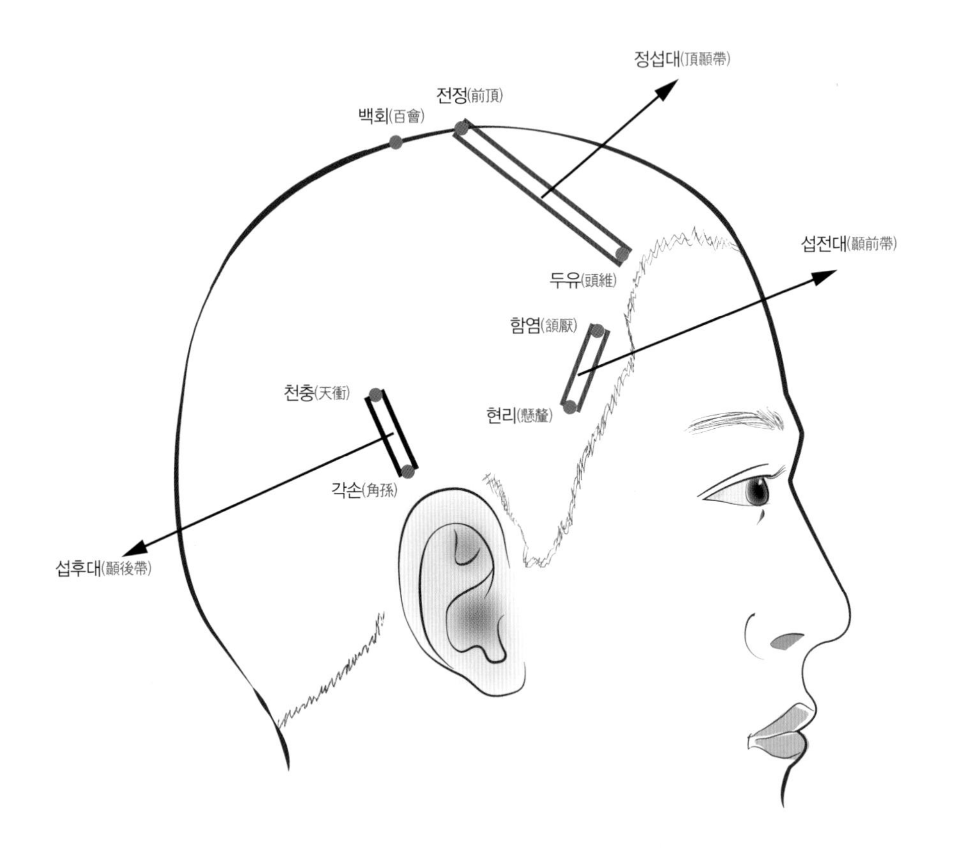

6)정섭대(頂顳帶) : 전정(前頂)에서 두유(頭維)를 행해서 1.0촌 폭의 띠를 기준라인으로 정하고, 3등분한다. 중추성 운동장애나 감각장애에 효과가 있다.

전방 1/3부는 하지증후에 대한 치료.

중앙 1/3부는 상지증후에 대한 치료.

후방 1/3부는 두부나 안면증후에 대한 치료.

7)섭전대(顳前帶) : 함염(頷厭)에서 현리(懸釐)를 향해서 10촌 폭의 띠를 기준라인으로 정한다. 편두통, 말초성 안면신경마비, 운동실어증 및 구강질환의 치료에 이용한다.

8)섭후대(顳後帶) : 각손(角孫)에서 천충(天衝)을 향해서 10촌 폭의 띠를 기준라인으로 정한다. 편두통, 현기증, 청각장애의 치료에 이용한다.

6-2 주씨(朱氏) 두침(4)

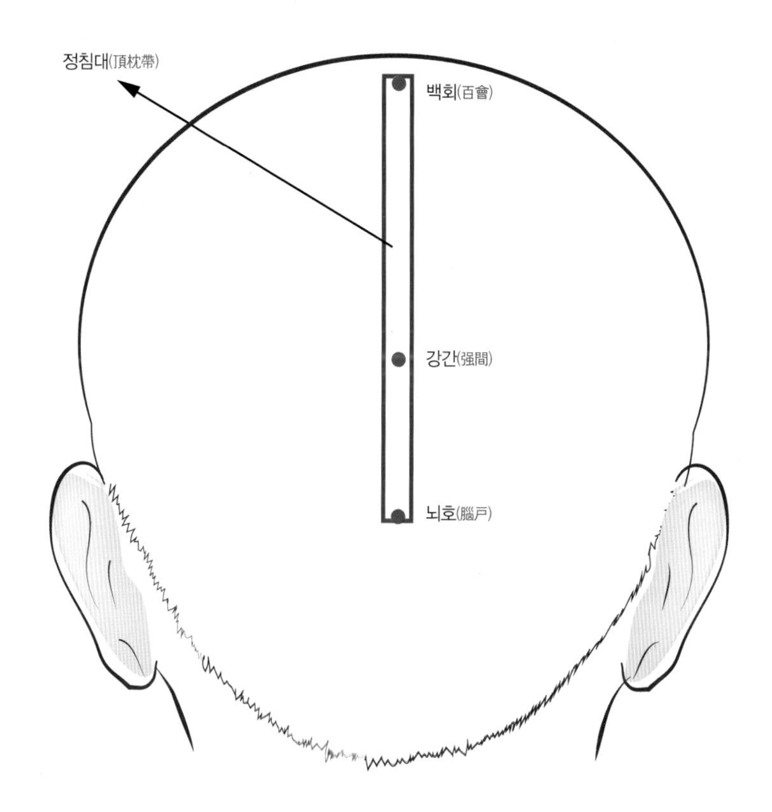

9)정침대(頂枕帶) : 백회(百會)에서 뇌호(腦戶)를 향해서 1.0촌 폭의 띠를 긋고, 4등분한다.
체간 배면(背面)의 증후에 이용한다.

전방에서 1/4부는 선추부(仙椎部)나 회음부 증후에 대한 치료.

전방에서 2/4부는 요부증후에 대한 치료.

전방에서 3/4부는 배부증후에 대한 치료.

후방 1/4부는 두부나 경부증후에 대한 치료.

6-3 방씨(方氏) 두침(1)

1970년, 중국 · 협서성(陝西省)의 방운붕(方雲鵬)씨가 복상(伏象), 복장(伏臟), 도상(倒象) 및 도장(倒臟) 등 4구획을 기본으로 하여 사유(思惟), 운평(運平), 기억, 언어, 서사(書寫), 청각, 시각, 평형, 후각 및 호순(呼循) 등의 11자극점을 정했다.

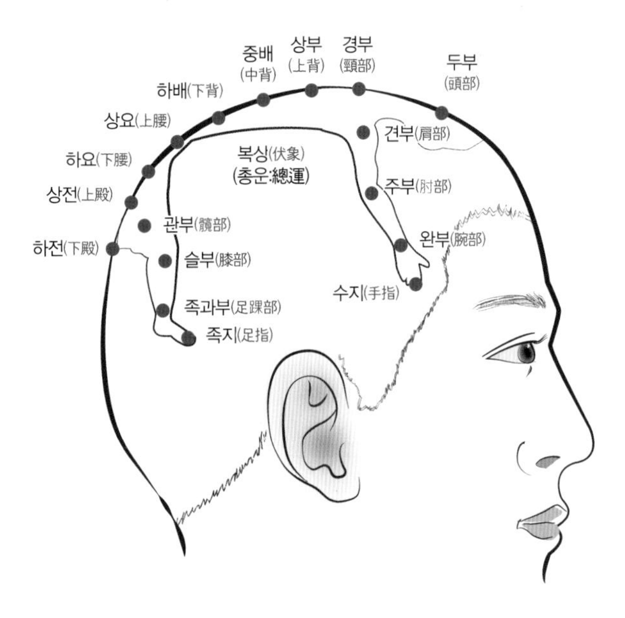

4구획

1)복상(伏象)은 총운동중추, 또는 총운(總運)이라고도 한다. 복와위를 취하는 인체는 시상 중앙선을 축으로 하여 두피에 투영하고 있다. 이 복상을 4개의 구역으로 나누고 있다.

· 두부(頭部) · 경부(頸部) : 시상봉합(矢狀縫合)과 관상봉합(冠狀縫合)의 교점 앞에 있는 부위. 두부는 세로 2cm, 폭 2cm, 경부는 세로 2cm, 폭 1cm를 구분하지만, 두부와 경부 사이가 1cm 겹쳐져서 합계 길이는 3cm가 된다.

· 상지부(上肢部) : 시상봉합과 관상봉합의 교점에서 관상봉합을 따라서, 아래쪽 안와외각돌기의 약 3cm 후방까지 약 11cm의 라인이다. 위쪽부터 견부(肩部) 2cm, 견부에서 주부(肘部) 3.5cm, 주부에서 완부(腕部) 3.5cm, 완부에서 수지(手指) 2cm를 구분한다.

· 체간부(体幹部) : 시상봉합과 관상봉합의 교점에서 람다봉합 끝까지 14cm의 라인이다. 배부(상배 · 중배 · 하배)(폭 3cm/세로 2cm/길이 6cm), 요부(상요 · 하요)(폭 3cm/세로 2cm/길이 4cm)를 구분한다.

· 하지부(下肢部): 람다봉합 끝에서 람다봉합을 따라서, 람다봉합, 두정유돌봉합 및 후두유돌봉합의 교점까지 9cm의 라인이다. 위쪽부터 관부(髖部) 1.5cm, 관부에서 슬부(膝部) 3cm, 슬부에서 족과부(足踝部) 3cm, 족과부에서 족지(足指) 15cm를 구분한다.

6-3 방씨(方氏) 두침(2)

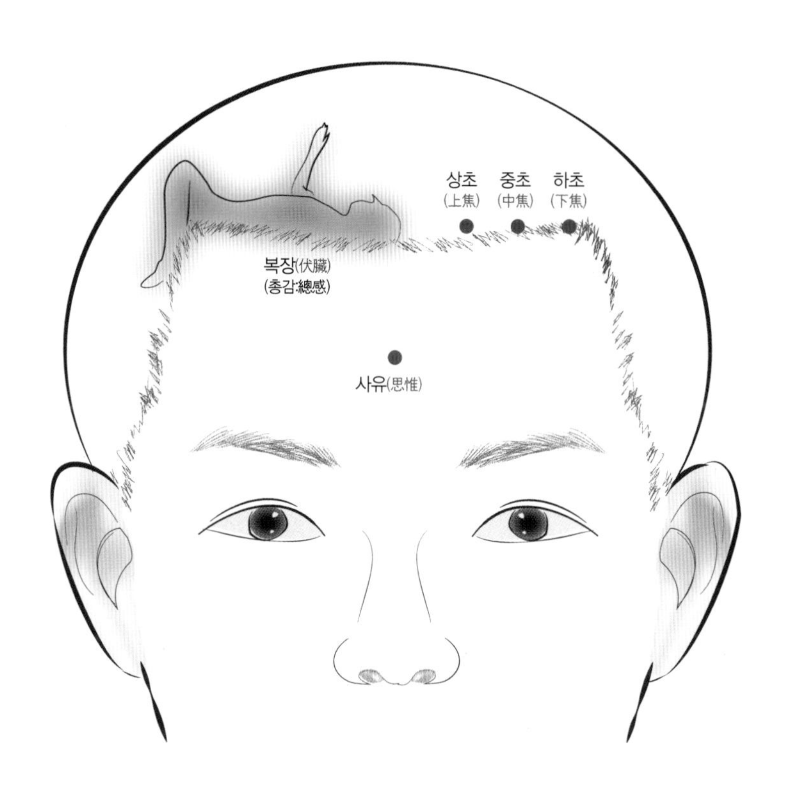

2)복장(伏臟)은 전발제(前髮際)에 위치하며, 총감각중추, 또는 총감(總感)이라고도 한다. 인체의 내장을 정중선을 축으로 하여 액각(額角)까지 가로지르는 인체의 내장을 투영하고 있다. 전정중선부터 상초(3cm), 중초(1.5cm), 하초(2cm) 를 구분한다.

상초 : 횡격막에서 상부의 흉강장기(심폐) 와 상지 및 그 피부감각, 대뇌(사유(思惟)).

중초 : 횡격막에서 제부(臍部) 사이에 있는 복부장기(간담, 췌장, 비위장 등) 및 그 피부감각.

하초 : 제부에서 하부 사이에 있는 하복부장기(비뇨, 생식기계), 하지 및 그 피부감각.

3)도상(倒象)은 p.143 참조.

11자극점

사유(思惟) : 미간 중앙(인당:印堂) 에서 바로 위 3cm 인 부위.

6-3 방씨(方氏) 두침(3)

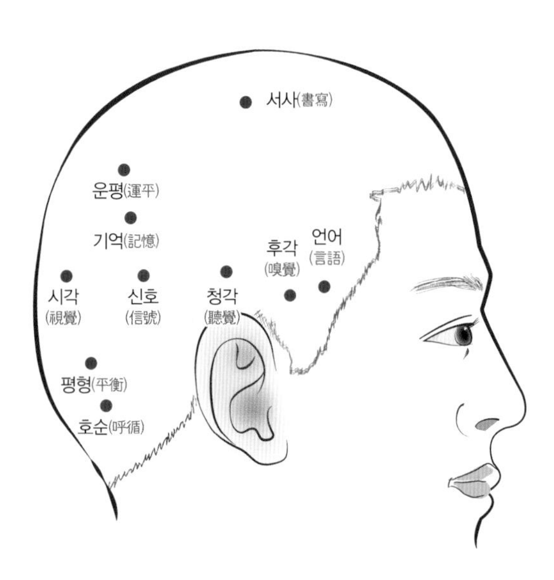

언어 : 언어중추의 두피에 대한 투영부. 눈썹 중앙(어요: 魚腰) 와 이첨(耳尖)을 연결하는 선의 중점. 운동성실어의 치료에 이용한다.

서사(書寫) : 서중추(書中樞)의 두피에 대한 투영부. 시상봉합과 관상봉합의 교점에서 좌우 후방을 향해서 시상봉합과 각도 45°를 이루는 선을 긋는다. 이 선상에서 시상봉합과 관상봉합의 교점에서 3cm인 부위. 진전마비나 무도병의 치료에 이용한다.

기억 : 식자중추(識字中樞)의 두피에 대한 투영부. 람다봉합 끝에서 시상봉합과 각도 60°를 이루는 선을 긋는다. 이 선상에서 람다봉합에서 7cm인 부위. 건망성 실어 등의 치료에 이용한다.

신호 : 감각언어중추의 두피에 대한 투영부. 외후두 융기의 위 3cm와 이첨(耳尖)을 연결하는 선상에서 앞 1/3과 뒤 2/3의 점에 있다. 감각성 실어의 치료에 이용한다.

운평(運平) : 운동중추의 두피에 대한 투영부. 람다봉합 끝에서 좌우전방을 향해서, 람다봉합과 각도 30°를 이루는 선을 긋는다. 이 선상에서 람다봉합에서 5cm인 부위에 있다. 운동성질환의 치료에 이용한다.

시각 : 시각중추의 두피에 대한 투영부. 외측후두융기의 2cm 위에서 양쪽으로 1cm 떨어진 부위에 있다.

평형 : 평형중추의 두피에 대한 투영부. 외측후두융기의 2cm 아래에서 양쪽으로 3.5cm 떨어진 부위에 있다.

호순(呼循) : 호흡중추와 순환중추의 약칭. 외측후두융기 아래 5cm에서 양쪽으로 4cm 떨어진 부위에 있다.

청각 : 청각중추의 두피에 대한 투영부. 이첨(耳尖) 위 1.5cm에 있다.

후각 : 후각중추와 미각중추의 두피로의 투영부. 이첨(耳尖) 앞 3cm에 있다.

6-3 방씨(方氏) 두침(4)

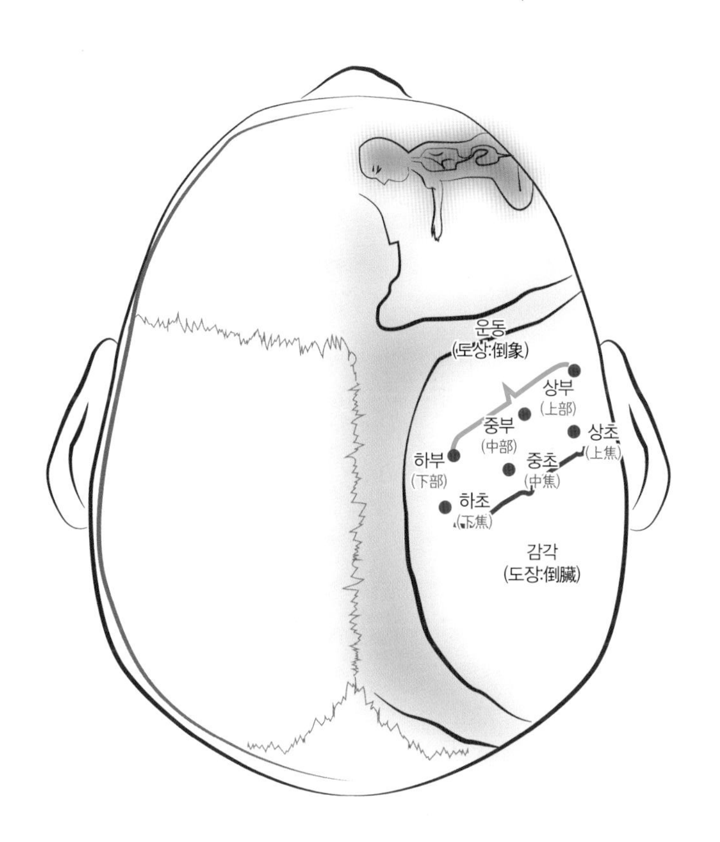

도상(倒象) : 대뇌피질 운동중추(중심전회) 의 두피에 대한 투영부. 인체를 거꾸로 배치하므로, 도상이라고 한다. 시상정중선(인당(印堂)~외후두융기) 의 중점에서 후방 1.25cm를 A점이라고 한다. 미간(眉間)중점(인당) 에서 귀를 지나서 외후두융기까지의 라인을 미이침선(眉耳枕線)이라고 한다. 그 중점 앞 1.25cm 에서 위쪽을 향해서 4cm의 수선을 긋고, 그 선의 상단을 B점이라고 한다. 이 A점과 B점을 연결하는 선에서 앞쪽 1.25cm 이동한 평행선이 도상(중심전회 운동중추) 부위가 된다. 도상은 약 9cm이며, 이측(耳側)에서 상부 1/3 (두경부), 중부 1/3 (상지) 과 하부 1/3 (체간과 하지) 을 구분한다.

도장(倒臟) : 대뇌피질 감각중추(중심후회) 의 두피에 대한 투영부. 인체를 거꾸로 배치하므로, 도장이라고 한다. 귀쪽부터 상초 · 중추 · 하초로 3등분한다.

6-4 탕씨(湯氏) 두침(1)

중국 · 상해 탕송연(湯頌延)씨가 정중시상선의 중점이 되는 음양점(陰陽点)을 축으로 하여 인체복면(腹面)(음면) 과 인체배면(背面)(양면) 의 2가지로 구분하고 있다.

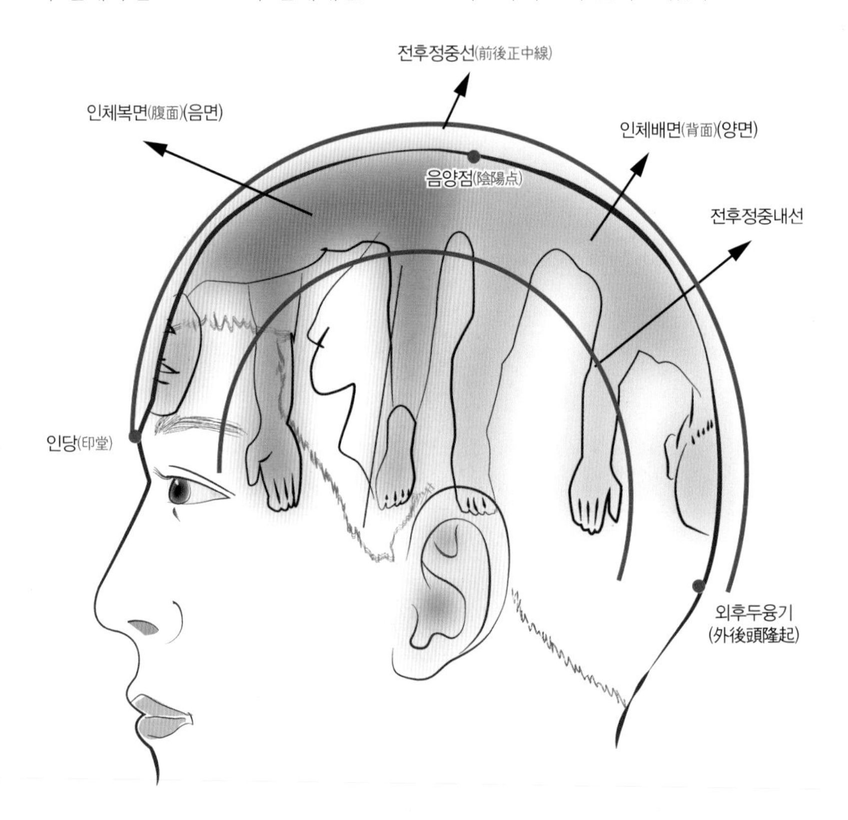

· 전후정중선(前後正中線) : 인당(印堂)에서 두정(頭頂)을 지나서 외후두융기 하연까지의 정중시상선이다.

· 음양점(陰陽点) : 전후정중선의 중점.

· 전후정중내선 : 전후정중선에서 안열(眼裂)의 폭만큼 떨어진 평행선이다.

6-4 탕씨(湯氏) 두침(2)

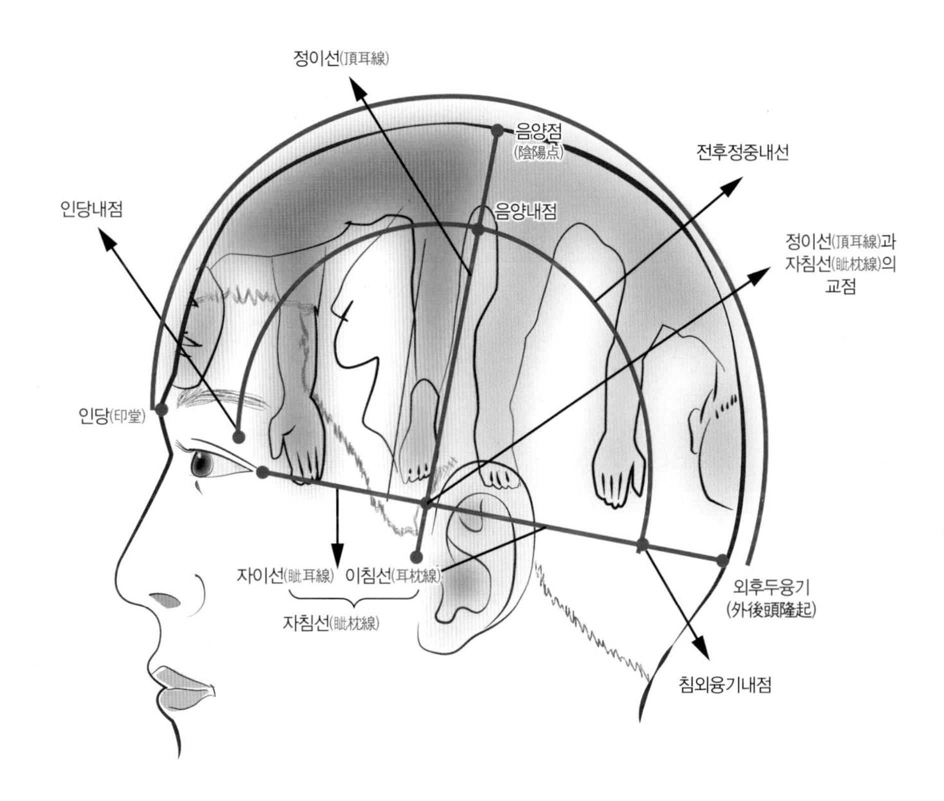

· 정이선(頂耳線) : 음양점과 이주(耳珠)를 연결하는 라인이다.

· 음양 내점 : 전후정중내선과 정이선(頂耳線)의 교점.

· 자침선(眦枕線) : 외안각(외자:外眦) 과 외후두융기하연을 연결하는 라인. 정이선(頂耳線)에 의해서 자이선(眦耳線)과 이침선(耳枕線)으로 나뉜다.

· 인당내점 : 자침선과 인당에 평행하는 선으로 전후정중내선과의 교점.

· 침외융기내점 : 자침선상에서 외후두융기 하연에서 전후정중내선의 교점.

6-4 탕씨(湯氏) 두침(3)

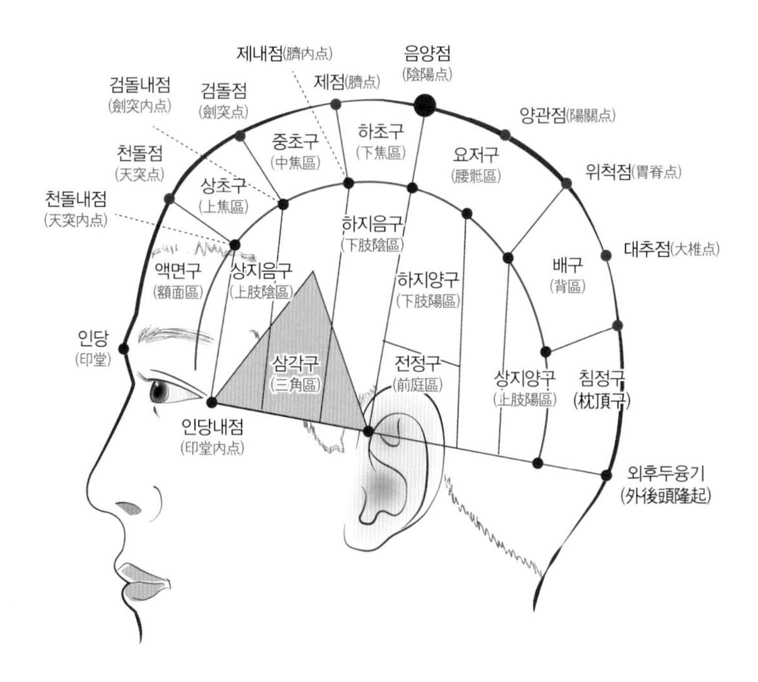

· 천돌점(天突点) : 신정(神庭)에 해당하는 부위.

· 천돌내점 : 천돌점(신정) 과 외후두융기 하연을 연결하는 선과 전후정중내선과의 교점.

· 검돌점(劍突点) : 천돌점과 음양점을 연결하는 선의 앞 1/3

· 검돌내점 : 천돌내점과 음양내점을 연결하는 선의 앞 1/3

· 제점(臍点) : 천돌점(天突点)과 음양점을 연결하는 선의 뒤 1/3

· 제내점(臍內点) : 천돌내점과 음양내점을 연결하는 선의 뒤 1/3

· 액면구(額面區) : 인당, 인당내점, 천돌내점 및 천돌점에 둘러싸인 구로 위에서 아래로 5등분하고, 10구로 나눈다.

· 상초구 : 천돌점, 천돌내점, 검상내점 및 검돌점에 둘러싸인 구이다. 또 상초구를 폐, 심 및 액구(腋區)의 3가지로 나눈다.

· 중초구 : 검돌점, 검돌내점, 제점 및 제내점으로 둘러싸인 구이다. 또 중초구를 간담, 비위구(脾胃區) 2가지로 나눈다.

· 하초구 : 제점, 음양점 및 음양내점으로 둘러싸인 구이다. 하초구에서는 주로 비뇨기계와 생식기계를 포함하고 있다.

· 상지음구 : 천돌내점, 전후정중내선의 상초구 하방 1/3, 자이선(眦耳線) 앞 1/3, 인당내점으로 둘러싸인 구이다. 위에서 아래로 5등분하고, 견음선(肩陰線), 주음선(肘陰線), 완음선(腕陰線) 및 지음선(指陰線)의 구로 나눈다.

· 하지음구 : 전후정중내선의 하초구 앞1/4, 음양내점, 정이선과 자침선의 교점, 자이선(眦耳線) 뒤 1/3로 둘러싸인 구이다. 위에서 아래로 5등분하여 고음선(股陰線), 슬음선(膝陰線), 과음선(踝陰線) 및 지음선(趾陰線) 의 구로 나눈다.

· 삼초구 : 자이선(眦耳線)을 밑변으로 하는 정삼각형.

6-4 탕씨(湯氏) 두침(4)

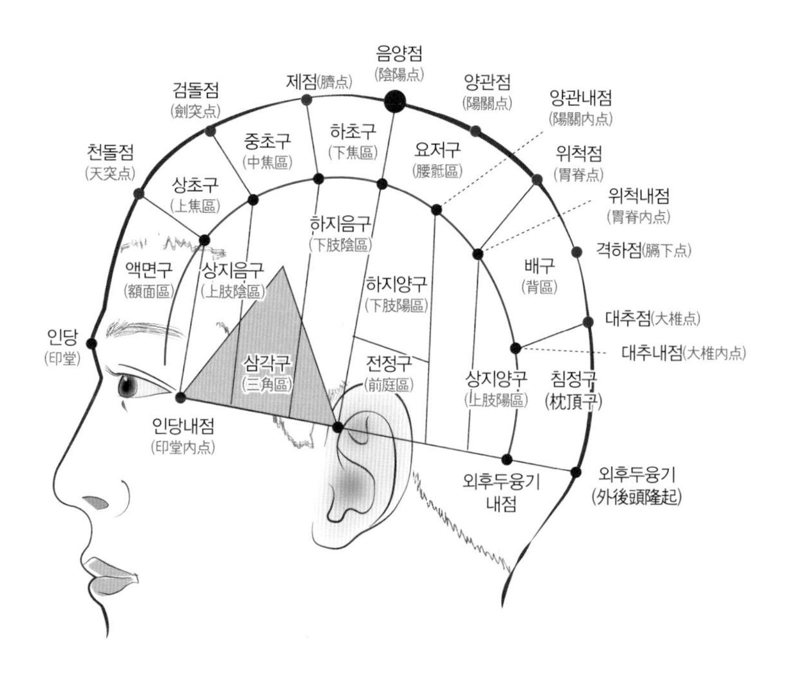

· 위척점(胃脊点) : 전후정중선상에서 음양점과 외후두융기 하연과의 앞 1/3

· 위척내점 : 전후정중내선상에서 음양내점과 외후두융기 내점과의 앞 1/3.

· 대추점(大椎点) : 전후정중선상에서 음양점과 외후두융기 하연과의 뒤 1/3

· 대추내점 : 전후정중내선상에서 음양내점과 외후두융기내점과의 뒤 1/3.

· 양관점(陽關点)(요양관:腰陽關) : 전후정중선상에서 음양점과 위척점과의 중점.

· 양관내점 : 전후정중선상에서 음양내점과 위척내점의 중점.

· 격하점(膈下点) : 전후정중선상에서 위척점과 대추점의 중점.

· 침정구(枕頂區) : 외후두융기하연, 외후두융기내점, 대추내점과 대추점으로 둘러싸인 구분이다.

· 배구(背區) : 대추내점, 대추점, 위척내점 및 위척점으로 둘러싸인 구이다.

· 요저구(腰骶區) : 위척점, 위척내점, 음양내점 및 음양점으로 둘러싸인 구이다.

· 상지양구(上肢陽區) : 위척내점에서 외후두융기내점까지의 전방에 있는 구이다. 두상에서 아래로 5분등하고, 견양선(肩陽線), 주양선(肘陽線), 완양선(腕陽線) 및 지양선(指陽線)의 구로 나눈다.

· 하지양구(下肢陽區) : 음양내점, 양관내점, 이침선(耳枕線)의 앞 1/3, 정이선과 자침선의 교점으로 둘러싸인 구이다. 위에서 아래로 5등분하고, 고양선(股陽線), 슬양선(膝陽線), 과양선(踝陽線) 및 지양선(趾陽線)의 구로 나눈다.

· 전정구(前庭區) : 하지양구의 아래 2/5

· 정선(靜線) · 풍선(風線) · 혈선(血線) : 이침선(耳枕線)을 4등분하여 정선(앞 1/4), 풍선(중앙), 혈선(뒤 1/4)의 3개의 구로 나눈다.

6-5 임씨(林氏) 두침(1)

중국 · 상해 제2의과대학의 임학검(林學儉)씨가 대뇌피질 기능국재 및 뇌혈액순환 등을 기본으로 하여, 소아뇌성마비, 두부외상후유증 및 신경성 청각장애의 임상에 효과가 있는 두부자극점을 정했다.

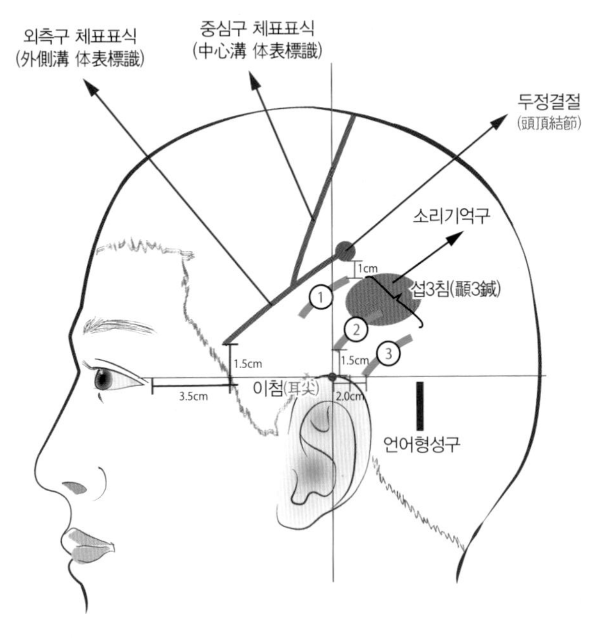

· 두정결절(頭頂結節) : 두정융기(頭頂隆起)라고도 한다. 두정골 외면의 중앙에 있으며, 가장 높은 부위.

· 외측구 체표표식(外側溝 体表標識) : 전두엽, 두정엽과 측두엽을 상하로 나누는 뇌구이다. 외안각에서 후방 3.5cm, 그 점에서 위쪽으로 1.5cm를 기점으로 하며, 두정결절과 연결하는 라인.

· 섭3침(顳3鍼)

1) 제1침 : 두정결절에서 전하방 1cm에 있으며, 전하방으로 비스듬히 약 3cm의 폭을 자입한다.

2) 제2침 : 이첨(耳尖) 위 1.5cm에 있으며, 후상방으로 약 3cm의 폭을 자입한다.

3) 제3침 : 이첨과 수평으로 후방으로 2cm에 있으며, 후상방으로 약 3cm의 폭을 자입한다.

자입의 각도는 5°~20°이며, 소아뇌성마비, 두부외상후유증, 신경성 청각장애, 기억기능이나 감각성 실어증에 이용한다.

· 소리기억구 : 두정결절의 아래쪽, 이첨에서 후상방 약 3cm에 있다. 2대침을 교차하여 자입하고, 언어장애에 이용한다.

· 언어형성구 : 이첨과 평행하여 후방 약 4cm 유양돌기의 후방에서 똑바로 올라가는 약 3cm의 라인. 청각 · 언어장애에 이용한다.

6-5 임씨(林氏) 두침(1)

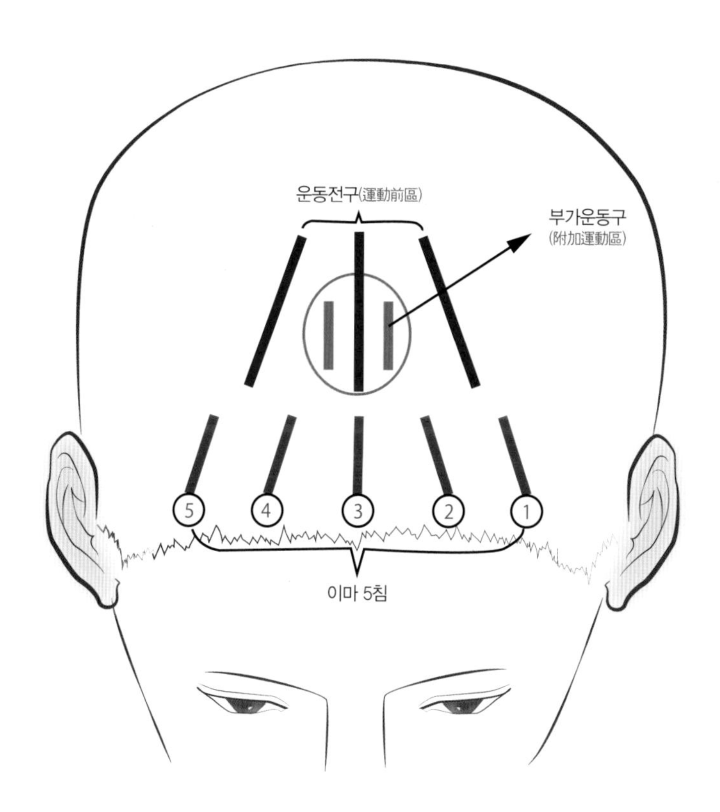

· 이마5침 : 좌우의 두유(頭維) 사이에서 전발제(前髮際) 위 2cm를 기준점으로 하여 5등분한다.

자입의 각도는 5°~20°이다. 뇌고차기능인 전두엽의 장애에 이용하지만, 양측 제1침과 제5침은 언어장애에 효과가 있다. 소아뇌성마비, 두부외상후유증인 경우에는 섭3침을 병용한다.

· 운동전구(運動前區) : 운동구의 전방 3~4cm에 있는 부위. 바늘 3대를 자입하여 소아뇌성마비, 두부외상후유증 등의 질환에 의한 근육경련을 치료목표로 한다.

· 부가운동구(附加運動區) : 운동전구의 중앙에 있는 부위. 바늘 3대를 자입하여 소아뇌성마비, 두부외상후유증, 청각장애 등의 뇌질환을 치료목표로 한다.

6-6 유씨(劉氏) 침구(1)

중국 · 광주 중의약대학의 유병권(劉柄權)씨가 ≪주역(周易)≫ 9궁8괘설(九宮八卦說)과 두부 경혈을 융합하여 8괘두침을 고안했다.

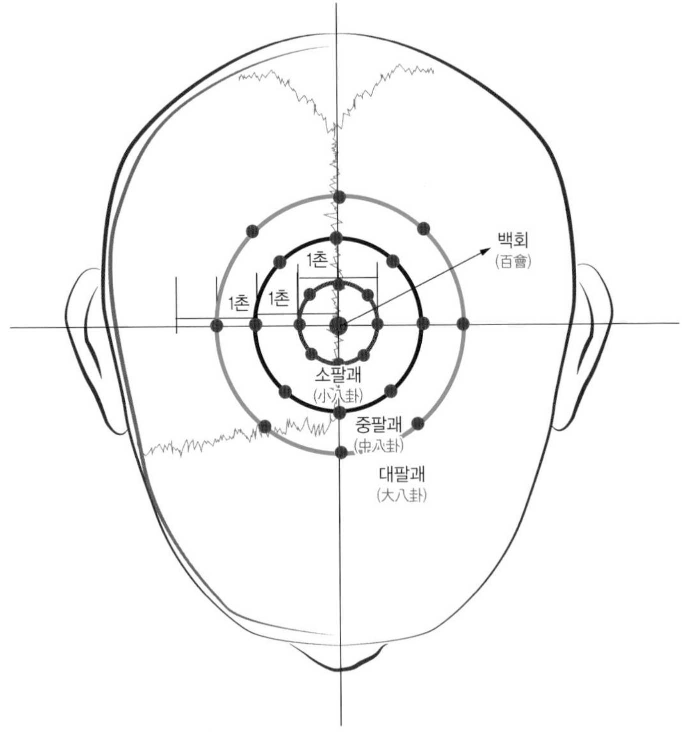

1. 백회소팔괘(百會小八卦) : 백회(百會)를 기준점으로 하여 반경 1촌의 원을 그린다. 그 원을 균등하게 나누어 8개의 자극점(4신총에 4개의 자극점을 추가한다) 을 정한다. 자극법은 그 8개의 자극점에서 백회를 향하여 횡자(橫刺)한다. 하지운동과 감각장애, 무도증, 진전마비 및 현기증, 두통, 간질을 치료목표로 한다.
2. 백회중팔괘(百會中八卦) : 백회(百會)를 기준점으로 하여 반경 2촌의 원을 그린다. 그 원을 균등하게 나누어 8개의 자극점을 정한다. 자극법은 그 8개의 자극점에서 백회를 향해서 횡자(橫刺)한다. 상지 · 하지 운동과 감각장애, 위장증후, 배뇨장애, 경추증, 이명을 치료목표로 한다.
3. 백회대팔괘(百會大八卦) : 백회(百會)를 기준점으로 하여 반경 3촌의 원을 그린다. 그 원을 균등하게 나누어 8개의 자극점을 정한다. 자극법은 그 8개의 자극점에서 백회를 향해서 횡자(橫刺)한다. 불면증, 인지장애, 실어증, 두부 및 안면증후, 청각장애를 치료목표로 한다.

6-6 유씨(劉氏) 침구(2)

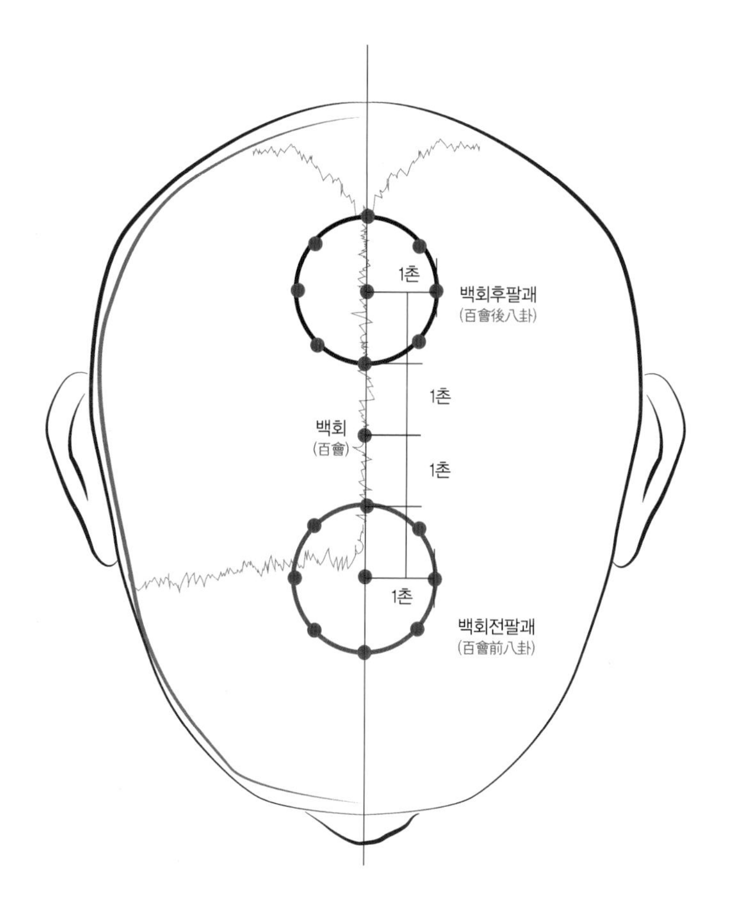

1. 백회전팔괘(百會前八卦) : 백회(百會)의 앞 2촌(신회(顖會)의 앞5분)을 기준점으로 하여 반경 1촌의 원을 그린다. 그 원을 균등하게 나누어 8개의 자극점을 정한다. 자극법은 그 8개의 자극점에서 중점을 향해서 횡자(橫刺)한다. 뇌혈관장애, 간질, 현기증, 두경부증후, 중초증후를 치료목표로 한다.
2. 백회후팔괘(百會後八卦) : 백회(百會)의 뒤 2촌(후정(後頂)의 뒤 5분)을 기준점으로 하여 반경 1촌의 원을 그린다. 그 원을 균등하게 나누어 8개의 자극점을 정한다. 자극법은 그 8개의 자극점에서 중점을 향해서 횡자(橫刺)한다. 체간의 증후, 평형실조증후, 현기증, 후두통, 간질, 구토를 치료목표로 한다.

6-6 유씨(劉氏) 침구 (3)

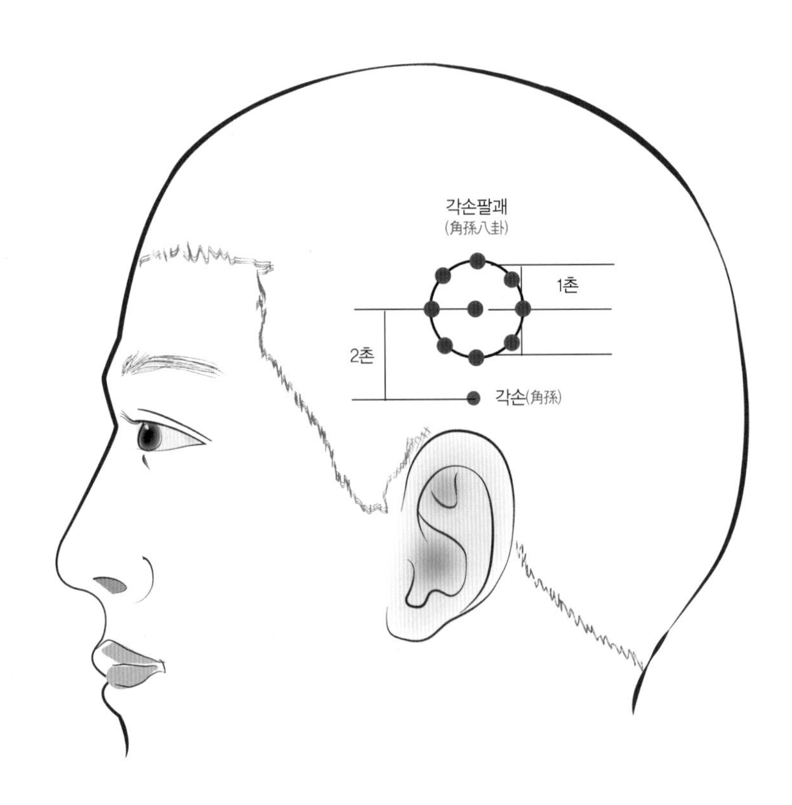

각손팔괘(角孫八卦) : 각손(角孫)의 바로 위 2촌을 기준점으로 하여 반경 1촌의 원을 그린다. 그 원을 균등하게 나누어 8개의 자극점을 정한다. 자극법은 그 8개의 자극점에서 중점을 향해서 횡자(橫刺)한다. 감각성 실어증, 이명, 청각장애, 두경부, 상지운동장애, 편두통, 담석증, 정신신경증상, 여성질환 및 뇌혈관장애후유증, 담경증후를 치료목표로 한다.

6-6 유씨(劉氏) 침구(4)

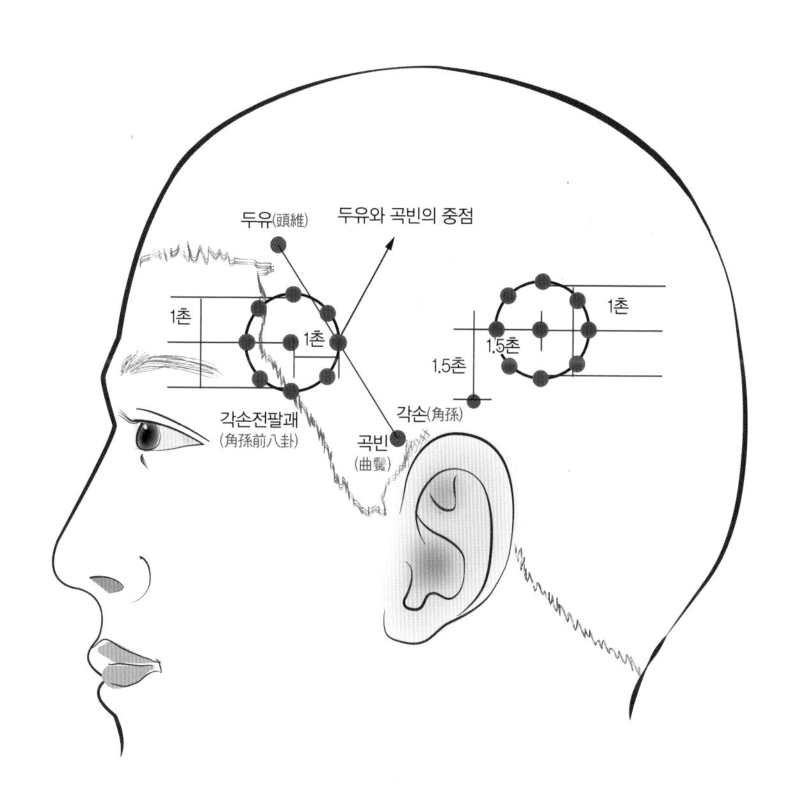

1. 각손전팔괘(角孫前八卦) : 두유(頭維)와 곡빈(曲鬢)을 연결하는 중점을 기준점으로 하여 그 수평방향 전방 1촌에 반경 1촌의 원을 그린다. 그 원을 균등하게 나누어 8개의 자극점을 정한다. 자극법은 그 8개의 자극점에서 중점을 향해서 횡자(橫刺)한다. 안면신경마비, 삼차신경통, 운동성 실어증, 미각장애, 무도증, 진전마비, 편두통, 상치통(上齒痛), 청각장애, 담경증후를 치료목표로 한다.
2. 각손후팔괘(角孫後八卦) : 각손(角孫)의 바로 위 1.5촌을 기준점으로 하여 그 후방 1.5촌에 반경 1촌의 원을 그린다. 그 원을 균등하게 나누어 8개의 자극점을 정한다. 자극법은 그 8개의 자극점에서 중점을 향해서 횡자(橫刺)한다. 실어증, 기억장애, 불면증, 인지장애, 청각장애, 담경증후를 치료목표로 한다.

6-6 유씨(劉氏) 침구(5)

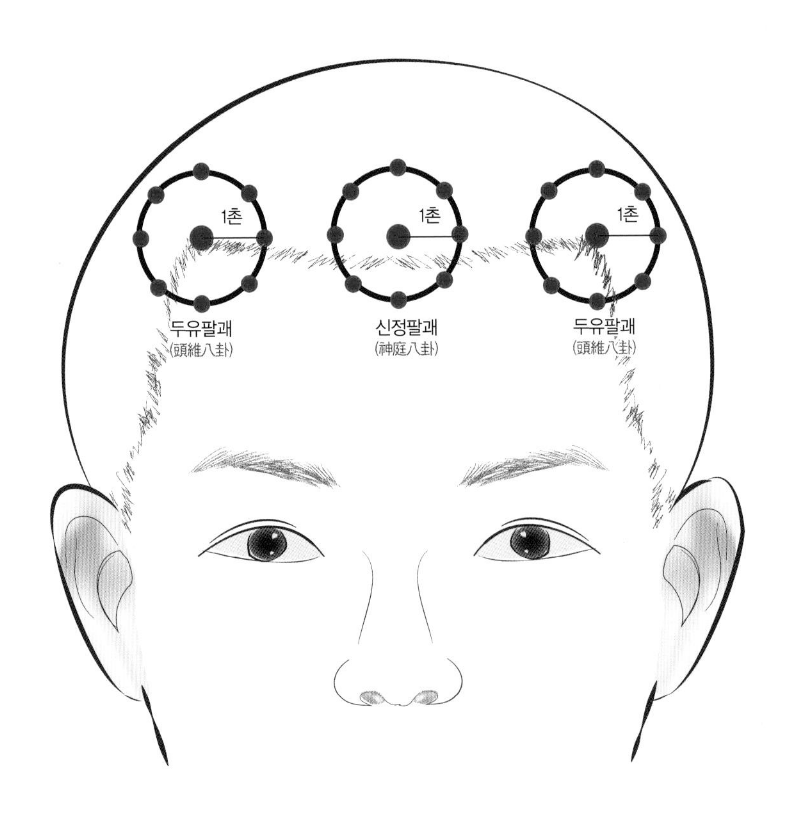

1. 신정팔괘(神庭八卦) : 신정(神庭)을 기준점으로 하여 반경 1.5촌의 원을 그린다. 그 원을 균등하게 나누어 8개의 자극점을 정한다. 자극법은 그 8개의 자극점에서 중점을 향해서 횡자(橫刺)한다. 인지장애, 정신질환, 기억장애, 정신신경증후, 비증후, 흉부장애, 늑간신경통, 눈의 증후, 두통, 상초(上焦)증후를 치료목표로 한다.
2. 두유팔괘(頭維八卦) : 두유(頭維)를 기준점으로 하여 반경 1촌의 원을 그린다. 그 원을 균등하게 나누어 8개의 자극점을 정한다. 자극법은 그 8개의 자극점에서 중점을 향해서 횡자(橫刺)한다. 위장 및 배뇨장애, 간담증후, 생식증후, 중초 및 하초증후를 치료목표로 한다.

6-6 유씨(劉氏) 침구(6)

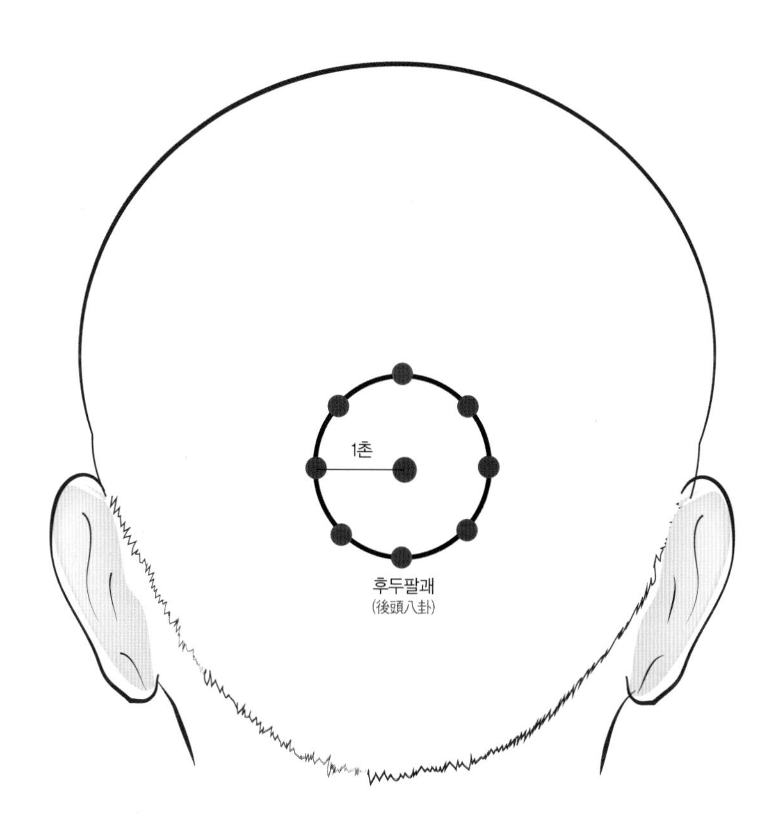

후두팔괘(後頭八卦) : 후두융기를 기준점으로 하여 반경 1촌의 원을 그린다. 그 원을 균등하게 나누어 8개의 자극점을 정한다. 자극법은 그 8개의 자극점에서 중점을 향해서 횡자(橫刺)한다. 시각장애, 소뇌증후, 평형실조증후, 현기증, 배부 및 요부증후, 간질, 하지운동장애를 치료목표로 한다.

6-7 야마모토씨(山元氏) 두침(1)

일본 미야자키현 니치난시(日南市) 야마모토의원 원장 야마모토 토시카츠(山元敏勝)씨가 고안한 야마모토 신두침요법(YAMAMOTO New Scalp Acupuncture)이다. 야마모토씨 두침은 전두부를 기본부위로 하여 YNSA기준점(A점~E점의 5자극점)을 축으로 하는 심플한 두침이다.

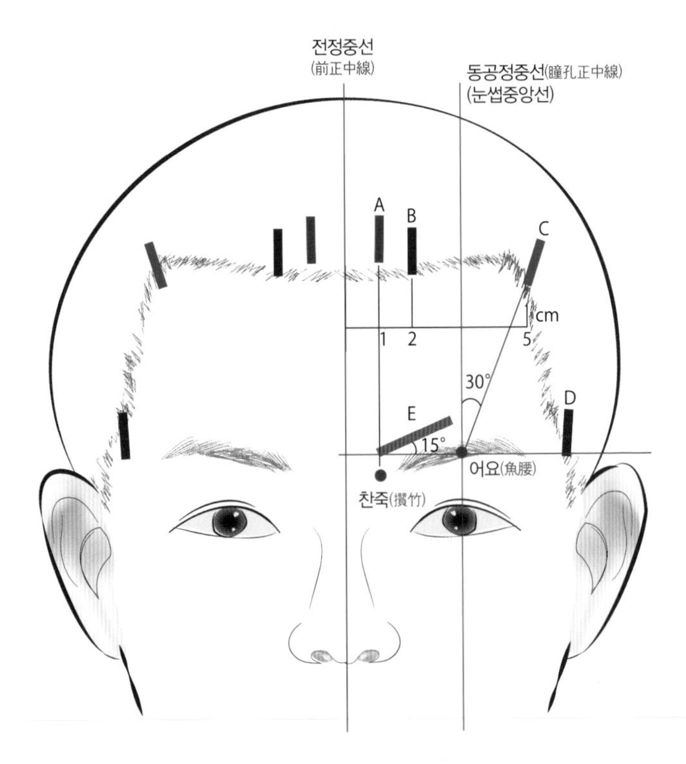

A점 : 미두(眉頭)(찬죽:攢竹))로부터의 수직선과 전발제(前髮際)의 교점. 전정중선(前正中線)에서 바깥쪽 1cm의 부위에 있다. 전발제의 위쪽 1~2cm에서 두정부를 향해서 2~3cm 횡자(橫刺)한다. 두부, 경추, 어깨증후를 치료목표로 한다.

B점 : 전정중선(前正中線)에서 2cm (A점의 바깥쪽 1cm)의 부위에 있다. 전발제에서 두정부를 향해서 2~3cm 횡자(橫刺)한다. 경추, 어깨, 견관절, 견갑골부증후를 치료목표로 한다.

C점 : 동공정중선(瞳孔正中線)(어요:魚腰) 과 30°를 이루는 사선과 발제(髮際)의 교점. 전정중선에서 바깥쪽 5cm 바로 위에 있는 부위. 발제에서 두정부를 향해서 2~3cm 횡자(橫刺)한다. 견갑골부, 견관절, 상지, 수지증후를 치료목표로 한다.

6-7 야마모토씨(山元氏) 두침(2)

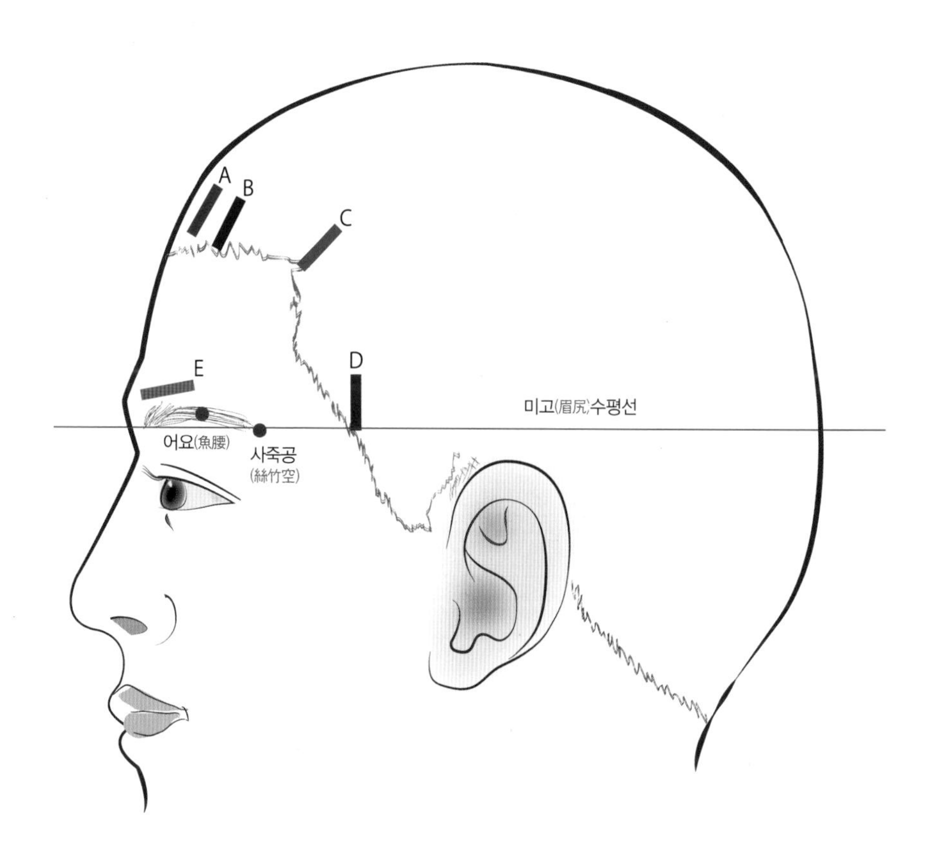

D점 : 미고(眉尻)(사죽공:絲竹空) 에서 그은 수평선과 측발제(側髮際)의 교점. 측발제에서 두정부를 향해서 2~3cm 횡자(橫刺)한다. 허리, 하지, 족지증후를 치료목표로 한다.

E점 : 전정중선(前正中線)의 바깥쪽 1cm, 미두(眉頭)의 위쪽, 눈썹수평선과 약 15°를 이루는 2cm정도의 라인. 횡자법으로 호흡, 흉부 및 늑골증후를 치료목표로 한다.

야마모토(山元) 신두침요법은 심플하고, 알기 쉽고 사용하기 쉬운 특징이 있으며, 관절류머티스, 여러 가지 동통질환, 두부외상장애, 불면증, 파킨슨병, 메니에르병 및 뇌혈관장애에 양호한 효과가 임상 보고되어 있다.

보충. 두침요법과 경두개자기자극, 반복 경두개자기자극

경두개자기자극(TMS) 및 반복 경두개자기자극(rTMS) 은 ①비침습적, ②두개골을 통해서 대뇌피질에 효율적이고 국한적으로 자극을 준다. ③신경변성질환, 불수의운동, 뇌혈관장애의 후유증, 만성동통, 우울증 등의 정신질환에 치료를 할 수 있는 등 두침요법과 공통적이어서 TMS, rTMS의 지견이 두침요법의 금후에 중요하다. 다음은 TMS, rTMS의 개요와 모델이다.

경두개자기자극(TMS) : 비침습적으로 뇌를 전기자극한다. 두피 위에 1000암페아급의 전류가 흐르며 발생하는 펄스자장에 의해서 유도되는 와전류(渦電流)에 의해서 두피에서 2~3cm, 회백질과 백질의 경계근처까지 지속시간 200마이크로초로 흥분시킨다(그림1).

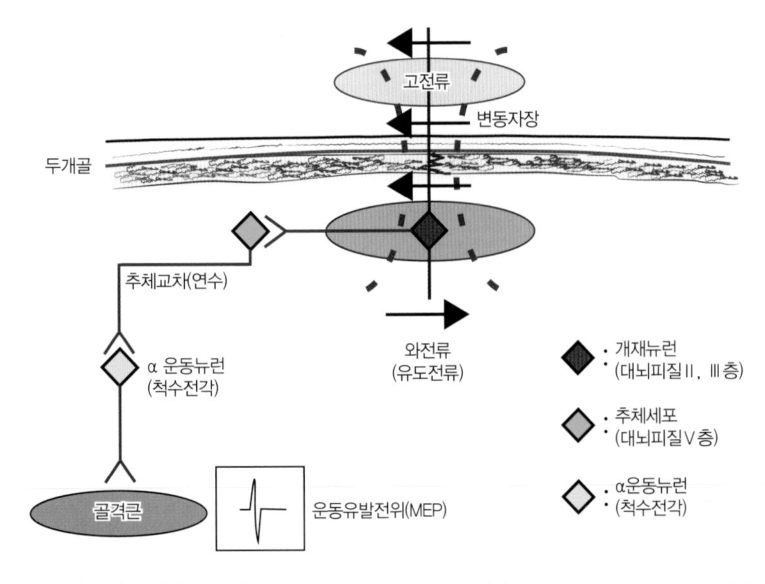

그림1 경두개자기자극모델 (中村元昭 : 정신신경잡지, 114(11) : 1231-1249, 2012에서 인용, 개편)

경두개자기자극법의 원리는 자기자극장치에서 만들어 내는 전기에너지를 자극코일로 자기에너지로 변환하여 뇌조직내에서 유도된 와전류(渦電流)에 의해서 신경세포를 전기자극하는 것이다. 와전류는 두개골에 평행하게 유발되며, 주로 제 II 층의 뉴런이 자극을 받는다. 그것을 통해서 추체세포가 흥분하여 추체교차로 반대측으로의 척수전각의 α운동뉴런이 발화되어, 운동유발전위를 만든다.

반복 경두개자기자극(rTMS) : 경두개자기자극의 규칙적인 반복. 자극빈도가 1Hz를 넘는 고빈도자극은 대뇌피질을 흥분시키고, 약한 저빈도자극은 저하시킨다. 뇌졸중후유증, 우울증 등에서 유효성이 보고되어 있다(그림2).

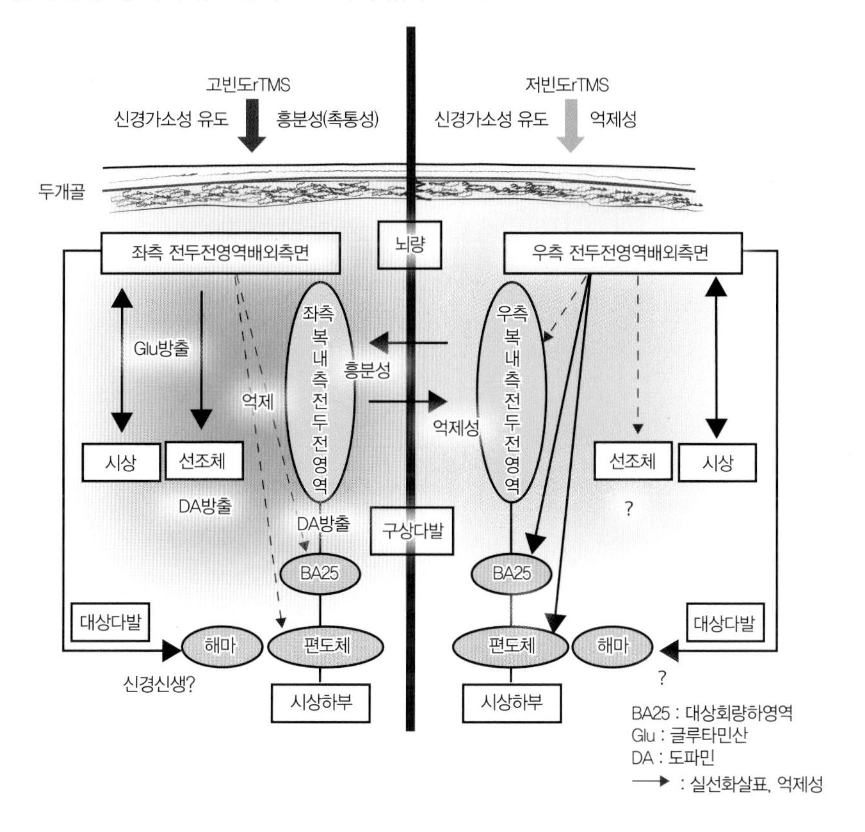

고빈도자극 rTMS(좌측)는 시상이나 선조체에 글루타민산의 방출을 촉진시키고, 그로 인해 도파민을 방출시킨다. 한편, 대상회량하영역이나 편도체를 억제한다.

저빈도자극 rTMS(우측)의 작용은 불분명한 점이 많지만, 좌측 전두전영역 배외측면의 고빈도자극의 효과와 반대로 억제한다.

좌우의 뇌반구는 뇌량을 통해서 좌측 고빈도 rTMS가 우측 전두전영역 배외측면을 억제하는 한편, 우측 저빈도 rTMS가 좌측 전두전영역 배외측면을 흥분시킨다.

주요참고도서

吉岡郁夫 외 : 체표해부학. 남강당, 도쿄, 1978년.
窪田金次郎, G.H. 슈마하 : 도설체표해부학. 아사쿠라(朝倉)서점, 도쿄, 1992년.
伊藤 隆 : 해부학강의. 남산당, 도쿄, 2001년
坂井健雄, 松村讓兒 · 감역 : 프로메테우스해부학 아틀라스. 의학서원, 도쿄, 2007년.
베이징 중의약대학 · 외 : 중국침구학개요, 인민위생출판사, 베이징, 1979년.
楊 長森, 何 樹槐 : 침구치료학, 상해과학기술출판사, 상해, 1996년.
王 德深 : 중국침구혈위통감 (하권). 청도출판사, 상해, 2004년.
焦 順發 : 두침. 산서인민출판사, 산서, 1982년.
王 富春, 于 仙玫, 鄧 瑜 : 두침요법. 인민출판사, 베이징, 2003년.
宋 一同, 王 振全 등 : 두침학, 해양출판사, 베이징, 2010년.
朱 明清 : 주씨두피침. 왕문사고분유한공사, 신북시, 2013년.
王 曉明 : 컬러판 · 경혈 MAP 제2판. 의치약출판, 도쿄, 2013년.

색인(INDEX)

WHO/WPRO 국제표준두침

색인(INDEX)

해부용어 · 기타 일반용어

색인(INDEX)

색인(INDEX)

저자 약력

王 曉明 의학박사

- 1982년 중국 랴오닝성(遼寧) 중의약대학 중의학부 졸업
- 1983년 중국 랴오닝성(遼寧) 중의약대학 침구학부 조교, 강사
- 1991년 동대학대학원 침구석사과정, 중의기초이론 박사과정 수료, 의학박사
- 2004년 스즈카(鈴鹿) 의료과학대학 준교수
- 2008년 스즈카(鈴鹿) 의료과학대학 교수
- 2011년 데이쿄헤이세이(帝京平成)대학 휴먼케어학부 침구학과 교수
- 현재 데이쿄헤이세이(帝京平成)대학 휴먼케어학부 침구학과 교수
  중국 랴오닝성(遼寧) 중의약대학 객원 교수

감수자 약력

최도영

- 前 대한침구의학회 회장
- 한의학 박사, 침구과 전문의
- 대한한의학회 수석부회장
- 경희대학교 한방병원 병원장
- 경희대학교 한방병원 침구과 진료교수
- 경희대학교 한의과대학 침구학교실 주임교수